D0582194

Prinses in opleiding

MEG CABOT

DAGBOEK • VAN • EEN • PRINSES

Prinses in opleiding

Vertaald door Carla Hazewindus

ARENA

Oorspronkelijke titel: *Princess in Training*

Omslagontwerp: Roald Triebels, Amsterdam
Foto voorzijde omslag: Corbis / Getty Images
Typografie: Roald Triebels, Amsterdam
Zetwerk: CeevanWee, Amsterdam
ISBN 978-90-8990-010-4
NUR 285

Voor mijn nichtje
Madison B. Cabot
prinses in opleiding

‘Ze zal nog meer prinses worden dan ze al was
– honderdvijftigduizend keer meer.’

De kleine prinses
Frances Hodgson Burnett

AEC

Albert Einstein College

HERFSTROOSTER

Leerling: Thermopolis, HKH Prinses Amelia Mignonette Grimaldi Renaldo

Geslacht: V

2e klas

Lesuren	Vak	Docent	Lokaal
Groepslokaal		Gianini	110
1e uur	Lichamelijke oefening	Potts	Gymzaal
2e uur	Wiskunde	Harding	202
3e uur	Engels	Martinez	112
4e uur	Frans	Klein	118
Lunchpauze			
5e uur	Bijzondere Leerlingen Project	Hill	105
6e uur	Staatsinrichting	Holland	204
7e uur	Aardwetenschappen	Chu	219

AEC

Beste leerlingen en ouders,
Welkom na een naar ik hoop ontspannende en daarbij in geestelijk opzicht stimulerende zomervakantie. Het bestuur en het docentencorps van het AEC hopen op een wederom opwindend en vruchtbaar schooljaar. Met dit in gedachten willen wij graag de volgende gedragsregels onder jullie aandacht brengen:

Lawaai:
Houd er rekening mee dat het Albert Einstein College midden in een woonwijk staat met hoge gebouwen. We moeten ons derhalve realiseren dat geluid altijd naar boven gaat en dat te veel lawaai – met name op de stoep bij de hoofdingang van de school – uit den boze is. Hieronder vallen geschreeuw, luidruchtig gelach en gegier, muziek, en ook ritueel gezang en getrommel. Denk alsjeblieft aan onze buren, en zorg ervoor dat de geluidsoverlast tot een minimum wordt beperkt.

Schenden van schoolbezit:
Het wordt doorgaans als 'traditie' gezien om aan het begin van het schooljaar het leeuwenstandbeeld, vaak aangeduid met 'Joe', bij de ingang van het AEC in East Seventy-fifth Street te versieren of op andere wijze te ontluisteren. Dit is ten strengste verboden. Er zijn bewakingscamera's geïnstalleerd, en

iedere leerling die wordt betrapt op het schenden van schoolbezit, op welke wijze dan ook, loopt de kans te worden verwijderd en/of beboet.

Roken:
Het is de leiding ter ore gekomen dat het afgelopen schooljaar dagelijks grote hoeveelheden sigarettenpeuken bij de ingang aan East Seventy-fifth Street moesten worden opgeveegd.

Het is niet alleen absoluut verboden om te roken op het terrein van de school, maar bovendien zijn sigarettenpeuken een ontsierend gezicht en vormen daarbij een potentiële brandhaard. Leerlingen die worden betrapt op roken – zowel door leden van de staf als via het nieuwe videosysteem – lopen de kans van school te worden gestuurd/zullen boetes worden opgelegd.

Kleding:
Dit jaar gelden de volgende kledingvoorschriften voor het AEC:

Meisjes	Jongens
Witte blouse met lange of korte mouw	Wit overhemd met lange of korte mouw
Grijze trui of vest	Grijze trui of vest
Blauw met gele rok of grijze wollen broek	Grijze flanellen broek
Blauwe of zwarte maillot of vleeskleurige panty	Blauwe of zwarte sokken
Blauw met geel geruite das	Blauw met geel geruite das
Marineblauw jasje	Marineblauw jasje

Het is niet toegestaan om shorts – inclusief gymshorts of shorts van sportteams – onder de rok te dragen.

Denk erom dat de lessen beginnen op de dag na Labor Day, op dinsdag 1 september om 7.55. En zoals gewoonlijk zal te laat komen niet worden geaccepteerd.

Welkom terug!

Mevrouw Gupta, rectrix

Maandag 7 september, Labor Day

WOMYNRULE: Heb je dat gezien?? Heb je dat hypocriete vodje gezien dat ze vorige week heeft gestuurd? Wie denkt ze wel dat ze is! Het was hartstikke duidelijk dat het stukje over ritueel gezang op mij sloeg. Alleen maar omdat ik een paar bijeenkomstjes heb georganiseerd. Nou, ze zal ze krijgen. Misschien denkt ze dat ze iedereen de mond kan snoeren, maar de leerlingen van het Albert Einstein laten zich er niet onder krijgen.

DKLOUIE: Lilly, ik –

WOMYNRULE: En zag je dat over die beveiligingscamera's??? Heb je ooit zoiets fascistisch meegemaakt? Nou, ze mag zoveel camera's ophangen als ze wil. Dat houdt MIJ echt niet tegen. Zo zie je maar weer dat ze op deze school langzaam maar zeker een soort dictatuur vestigt. Je weet toch dat ze in Rusland onder het communisme bewakingscamera's gebruikten om het proletariaat eronder te houden? Ik vraag me af wat haar volgende stap zal zijn. Ex-KGB-agenten inschakelen, volgens mij. Dit wil ik echt niet laten gebeuren. Het betekent een absolute inbreuk op onze privacy. En, PVG daarom gaan we dit jaar de hele zaak overnemen. Ik heb een plannetje...

DKLOUIE: Lilly –

WOMYNRULE: ... dat helemaal de vloer aanveegt met haar pogingen om ons monddood te maken en ons haar wil op te leggen. Het mooiste is dat het helemaal in overeenstemming is met de schoolregels. Als we dat voor elkaar krijgen, Mia, weet ze niet meer hoe ze het heeft.

DkLouie: LILLY!!! Volgens mij is de bedoeling van chatten dat we met elkaar praten!

WomynRule: Dat doen we toch?

DkLouie: Ja, jij. Ik doe mijn best, maar je valt me steeds in de rede.

WomynRule: Goed dan. Ga je gang. Wat wilde je zeggen?

DkLouie: Weet ik niet meer. Dat komt door jou. Trouwens, hou op met me PVG te noemen.

WomynRule: Sorry hoor. Jeetje, sinds je een broertje hebt gekregen ben je zo... gevoelig.

DkLouie: Nou, ik ben altijd gevoelig geweest.

WomynRule: Zeg dat wel! BL wil je mijn plannetje weten?

DkLouie: Reken maar! Wacht even. Wat betekent BL?

WomynRule: Dat weet je heus wel.

DkLouie: Echt niet.

WomynRule: Jawel... Babylikker.

DkLouie: HOU OP!! IK BEN GEEN BABYLIKKER!!!

WomynRule: Echt wel. Net als dat rode pandabeertje.

DkLouie: Dat ik het er niet mee eens was dat mijn moeder haar baby van zes weken meenam naar een vredesmars over Brooklyn Bridge, maakt nog geen babylikker van me!!! Er had van ALLES kunnen gebeuren tijdens die demonstratie. VAN ALLES. Ze had maar hoeven struikelen en dan was hij over de brugleuning gestuiterd en na een val van honderd meter in de East River terechtgekomen en verdronken. Nadat hij door de val eerst al zijn lieve botjes had gebroken. En zelfs als ik hem achterna zou zijn gedoken, waren we allebei waarschijnlijk door de stroming naar zee afgedreven. Bedankt hoor, Lilly. Waarom moest je me daar nou zo nodig aan herinneren?

WomynRule: Weet je nog wat die oppasser met die rode panda moest doen?

DkLouie: HOU OP!!! Niemand neemt mijn kleine broertje van me af omdat ik hem te veel lik!! Ik heb Rocky niet één keertje gelikt!!

WomynRule: Oké, maar geef toe dat je wel een beetje overbezorgd bent wat hem betreft.

DkLouie: Nou, íémand moet zich toch zorgen om hem maken! Want mijn moeder wil hem naar de meest idiote bijeenkomsten meeslepen, zoals antioorlogdemonstraties. Bovendien neemt ze dan af en toe de ondergrondse, en je weet dat dat gewoon een broedplaats is voor bacteriën. En meneer G. gooit hem steeds in de lucht zodat hij met zijn hoofdje tegen de plafondventilator aan komt. Volgens mij boft Rocky alleen maar dat hij een grote zus heeft die op hem let, want in ons gezin doet niemand anders dat.

WomynRule: Wat jij wil... babylikker.

DkLouie: Hou je kop, Lilly. Vertel me nou maar over dat stomme plannetje van je.

WomynRule: Nee, niet nu. Het is volgens mij beter dat je hier niets van weet, want babylikkers zoals jij maken zich veel te veel zorgen, en gaan dan nog harder babylikken.

DkLouie: Prima. Ik heb toch geen tijd om naar die idiote plannetjes van je te luisteren. Je broer is aan de telefoon. Ik moet stoppen.

WomynRule: Watte? Zeg maar dat hij moet blijven hangen. DIT IS BELANGRIJK, MIA.

DkLouie: Misschien sta je hier wel van te kijken, Lilly. Maar met je broer praten is óók belangrijk. Dat vind ík tenminste. Sinds afgelopen vrijdag, toen ik ben teruggekomen, heb ik hem maar twee keer gezien...

WomynRule: Sorry hoor dat ik je een babylikker noemde. Wacht nou even, ik moet je nog vertellen dat...

DkLouie: En zaterdag was het verhuisdag, en dat telt eigenlijk niet, want hij was helemaal bezweet nadat hij dat mini-ijskastje al die trappen op had gedragen, omdat de liften het niet deden...

WomynRule: MIA, LUISTER JE NOG WEL?

DKLOUIE: En je ouders en de conciërge waren daar ook. En toen we zondag uitgingen, had ik nog steeds een jetlag en daarom ben ik per ongeluk...

WOMYNRULE: Ik...

DKLOUIE: ... in slaap gevallen terwijl hij op de proppen kwam met zijn...

WOMYNRULE: Ga...

DKLOUIE: ... nieuwe Magic kaarten omdat Maya het vorige pak had laten vallen...

WOMYNRULE: Je...

DKLOUIE: ... en dat kwam toen tussen de kaarten terecht die hij niet meer gebruikt...

WOMYNRULE: VERMOORDEN!

DKLOUIE: einde.

Maandag 7 september, Labor Day, 10 uur, thuis

Een nieuw schooljaar. Ik zou opgetogen moeten zijn. Ik zou helemaal blij moeten zijn bij de gedachte dat ik mijn vriendinnen weer zie na twee maanden op vreemde bodem te hebben vertoefd.

En dat ben ik ook. Ik ben reuze blij. Ik ben blij dat ik Tina, Shameeka en Ling Su weer zal zien. En zelfs – niet te geloven dat ik dit zeg – Boris.

Maar ja, het zal allemaal zo totaal anders zijn dit jaar. Geen Michael om op te halen en mee naar school te gaan, om naast te zitten bij de lunch en wiskunde mee door te nemen – Balen! En dit jaar is wiskunde nog ingewikkelder. O jee. Nou, dat is van later zorg. Hoewel, meneer Gianini (FRANK, IK MOET ONTHOUDEN DAT IK FRANK TEGEN HEM ZEG) zegt dat wanneer je het eerste jaar slecht bent in wiskunde, het volgende jaar altijd beter is. Laat dat alsjeblieft waar zijn.

Oké, Michael en ik hebben ook nooit staan zoenen voor mijn kluisje of zo. Dat kon ook niet vanwege mijn lijfwacht, en omdat hij niet houdt van zoenen in het openbaar.

Maar er bestond tenminste wel altijd de kans dat ik Michael elk moment in de gang kon tegenkomen. Daardoor had ik op school tenminste íéts om naar uit te kijken.

Maar nu Michael van school is, heb ik niets meer om naar uit te kijken. Helemaal niets.

Alleen de weekends.

Maar hoeveel tijd zal Michael voor me hebben in het weekend? Want hij moet nu al zo hard studeren dat er geen sprake van is dat we elkaar op doordeweekse avonden kunnen zien. Niet dat dit trouwens ooit had gekund, gezien mijn verplichtingen als prinses en mijn huiswerk. Maar toch. Het lijkt wel...

Jemig, wat is er toch met mijn moeder aan de hand? Rocky was net wel een kwartíér aan het huilen, en ze deed helemaal niks. Ik ging naar de woonkamer waar ze met meneer G. naar *Law and Order* zat te kijken. Ik zei nog: 'Hallo, je zoontje roept je,' en toen zei mam zonder haar blik van de tv af te wenden: 'Hij is een beetje aan het klieren. Zo meteen gaat hij wel slapen.'

Wat is dat voor moederlijke zorg? Lilly mag me dan wel een babylikker noemen, maar het is toch geen wonder dat ik zo onaangepast ben als je bedenkt dat mijn moeder mij als baby waarschijnlijk net zo behandelde?

Dus toen ging ik maar naar dat felgeel geschilderde kamertje van Rocky en heb een van zijn lievelingsliedjes voor hem gezongen: 'Behind Every Good Woman' van Tracey Bonham, en toen was hij meteen stil.

Maar denk je dat iemand me daarvoor heeft bedankt? Nee dus! Toen ik zijn kamer uit kwam, keek mijn moeder me aan (alleen maar omdat er reclame was) en zei sarcastisch: 'Nou, bedankt Mia. We proberen hem eraan te laten wennen dat als we hem 's avonds in bed leggen, hij moet gaan slapen. Nou denkt hij dat als hij maar gaat huilen er wel iemand komt om een liedje voor hem te zingen. Toen jij afgelopen zomer in Genovia was, hebben we hem dat afgeleerd, en nu moeten we weer helemaal opnieuw beginnen.'

Nou, zeg!! Ik mag dan wel een babylikker zijn, maar het is toch geen misdaad als ik een beetje medelijden heb met mijn kleine broertje? Jemig!

Even kijken, waar was ik gebleven?

O, ja, school. Zonder Michael.

Echt hoor, waar slaat het allemaal op? Natuurlijk weet ik dat we naar school moeten en van alles en nog wat leren. Maar het leren was veel en veel leuker toen ik de kans liep Michael bij het fonteintje of zo tegen te komen. En nu heb ik tot zaterdag en

zondag totaal niks om naar uit te kijken. Ik zeg heus niet dat het leven zonder Michael geen zin heeft. Maar als hij in de buurt is, of in ieder geval de kans bestaat dat hij in de buurt zou kún-nen zijn, is echt álles veel en veel leuker.

Het enige lichtpuntje van dit schooljaar is Engels. Omdat het ernaar uitziet dat onze lerares mevrouw Martinez behoorlijk enthousiast is wat haar vak betreft. Als je tenminste afgaat op het berichtje dat ze ons afgelopen maand heeft gestuurd.

AEC

Een brief aan alle leerlingen van mevrouw Martinez, tweede klas.

Hallo!
Ik hoop dat jullie het niet erg vinden om een berichtje van me te krijgen nog voor het schooljaar is begonnen. Maar omdat ik nieuw ben in het lerarencorps van het Albert Einstein College, wilde ik mezelf even voorstellen en jullie allemaal leren kennen.

Mijn naam in Karen Martinez, en ik ben dit voorjaar aan Yale afgestudeerd in Engels. Als hobby's heb ik rollerskaten, tae-bo, alle bezienswaardigheden van New York City bezoeken, en (vanzelfsprekend!) literaire klassiekers zoals *Pride and Prejudice* lezen.

Ik hoop jullie dit jaar allemaal beter te leren kennen, en daarom wil ik jullie vragen om ter voorbereiding van de eerste les iets over jezelf op te schrijven (niet meer dan vijfhonderd woorden), plus wat jullie tijdens de zomervakantie hebben opgestoken. Zoals jullie wel zullen weten, houdt het leren niet op wanneer de school tijdens de zomervakantie dicht is!

Ik hoop dat jullie het niet erg vinden dat ik al huiswerk opgeef voordat de lessen zijn begonnen, maar ik kan jullie

verzekeren dat dit ertoe zal bijdragen dat jullie zo goed mogelijke schrijvers worden!

Hartelijk dank alvast, en geniet nog van de rest van de zomervakantie!

Hoogachtend,

K. Martinez

Mevrouw Martinez neemt haar werk duidelijk heel serieus. Het zal dan ook tijd worden dat het AEC eindelijk leerkrachten krijgt die om hun leerlingen geven – meneer G. daargelaten, natuurlijk.

Ik bedoel Frank.

Ik ben vooral heel erg blij dat mevrouw Martinez de nieuwe adviseur is van de schoolkrant, waarvan ik in de redactie zit. Gezien alle dingen die mevrouw Martinez en ik gemeen hebben – ik vond *Pride and Prejudice* echt geweldig, vooral in de versie met Colin Firth, en ik heb ook een keer geprobeerd te rollerskaten – denk ik dat ik heel veel aan haar lessen zal hebben. Ik bedoel dat het voor mij als aankomend schrijfster heel belangrijk is dat mijn talent op de juiste manier wordt gevormd. En nu al heb ik het idee dat mevrouw Martinez voor mij is wat Mr. Miyagi was voor Karate Kid. Op schrijfgebied dus. Niet op karategebied, zal ik maar zeggen.

Maar toch valt het niet mee om te bedenken wat ik in dat biografietje moet vertellen. Laat staan in mijn opstel over wat ik deze zomer allemaal heb opgestoken. Want wat moet ik dan opschrijven? 'Hallo, mijn naam is HKH Prinses Amelia Mignonette Grimaldi Thermopolis Renaldo. U hebt misschien wel eens van me gehoord omdat er een paar films over mijn leven zijn gemaakt.'

Om eerlijk te zijn hebben ze zich in die twee films absoluut niet aan de feiten gehouden. Het was al erg genoeg dat ze in de eerste film mijn vader lieten doodgaan en dat Grandmère een lieverdje was. Maar in de laatste film heb ik het ook nog uitgemaakt met Michael! Alsof dat ooit zou gebeuren! Dat zijn allemaal ideetjes van de filmstudio, ik denk om het verhaal een beetje spannender te maken, of zoiets. Alsof mijn leven nog niet spannend genoeg is zonder dat Hollywood zich ermee bemoeit.

Maar ik heb inderdaad veel gemeen met die Aragorn in *The Return of the King*. Ik bedoel maar, we hebben allebei de koningsmantel opgedrongen gekregen. Ik zou veel liever een gewoon iemand zijn in plaats van troonopvolger. En ik heb zo'n beetje het gevoel dat Aragorn dat ook had.

Ik houd heus wel van het land waar ik eens over zal regeren. Het is alleen heel vervelend om de fijnste tijd van de zomer met je vader en je oma te moeten doorbrengen terwijl je echt liever bij je kleine broertje bent, en natuurlijk bij je vriendje, die in de herfst naar de universiteit gaat.

Niet dat Michael zo ver weg gaat studeren. Hij gaat naar Columbia University, en die is gewoon in Manhattan. Maar dat is wel in het centrum. Veel verder dan waar ik normaal naartoe ga, behalve die ene keer toen we bij Sylvia's gebraden kip en wafels gingen eten.

Goed, toen ik de afgelopen week nog in Genovia was, heb ik voor mevrouw Martinez de volgende bio geschreven. Ik hoop dat ze in mijn proza een verwante schrijversziel herkent.

Van het bureau van Prinses Amelia Renaldo

MIJN BIO
Door Mia Thermopolis

Ik heet Mia Thermopolis. Ik ben vijftien, mijn sterrenbeeld is Stier en ik ben troonopvolger van het prinsdom Genovia (50.000 inwoners). Mijn hobby's zijn onder meer de opleiding tot prinses die ik van mijn grootmoeder krijg, tv-kijken, uit eten gaan (of eten bestellen), lezen, mijn werk voor de schoolkrant *Het Atoom*, en gedichten schrijven. Mijn toekomstdroom is schrijfster worden en/of africhter van reddingshonden (zodat ik bijvoorbeeld bij een aardbeving mensen kan helpen opsporen onder het puin).

Maar waarschijnlijk zal ik me erbij moeten neerleggen dat ik prinses van Genovia word (PVG).

Dit was het makkelijkste stukje. Het moeilijkste was om te beschrijven wat ik tijdens de zomervakantie heb opgestoken. Ik bedoel, wat heb ik nou eigenlijk geleerd? Ik heb bijna de hele maand juni mam en meneer G. geholpen het huis in te richten voor een baby. Dat was trouwens een behoorlijk ingrijpende verandering voor ze, omdat ze al die jaren gewend waren dat alle leden van het gezin op twee benen liepen (afgezien van de kat Dikke Louie). Door de intrede van een gezinslid dat waarschijnlijk meer dan een jaar voornamelijk kruipend zijn weg zal moeten vinden, drong het plotseling tot me door dat onze woonomgeving volkomen baby-onvriendelijk is. Maar het leek wel alsof mam en meneer G. dat niet zo veel kon schelen.

Daarom heb ik Michael gevraagd om me te helpen stopcontactbeveiligingen aan te brengen en kinderslotjes te zetten op alle kastladen die dicht bij de grond zitten. Mam kon dat niet zo erg waarderen, want nu kan ze de slacentrifuge er bijna niet meer uit krijgen.

Maar ooit zal ze me dankbaar zijn wanneer ze beseft dat Rocky door mijn toedoen gespaard is gebleven voor afgrijselijke ongelukken met de slacentrifuge.

Afgezien van het baby-veilig maken van het huis, hebben Michael en ik niet veel gedaan. Natuurlijk zijn er 's zomers in New York genoeg dingen die je als dolverliefd stelletje kunt doen: in een bootje varen op het meer in Central Park, in een koetsje over Fifth Avenue rijden, musea bezoeken en schitterende kunstvoorwerpen bekijken, operavoorstellingen bijwonen op de Great Lawn, buiten eten op terrasjes in Little Italy, enzovoort, enzovoort.

Maar dat zijn allemaal dingen die nogal veel geld kosten (tenzij je studentenkorting krijgt). Alleen die opera's in het park zijn gratis. Maar dan moet je wel zorgen dat je daar al om acht uur 's ochtends bent om een plaatsje bezet te houden. En die rare operaliefhebbers zijn zo gebrand op hun plekje dat ze beginnen te schreeuwen wanneer je je dekentje te dicht bij dat van hen neerlegt. Bovendien gaat in een opera iedereen altijd dood en dat vind ik net zo stom als dat gehannes met die dekentjes.

En hoewel ik prinses ben, zijn mijn geldelijke middelen uiterst beperkt, want van mijn vader krijg ik elke week maar het belachelijk kleine bedrag van twintig dollar als zakgeld. Hij hoopt natuurlijk dat ik op die manier geen feestbeest word (zoals een paar beroemdheden van wie ik de naam maar niet zal noemen) want als ik geen geld heb, kan ik dat ook niet uitgeven aan latex minirokjes en heroïne.

Michael heeft weliswaar een vakantiebaantje in de Applewinkel in Soho, maar hij legt al zijn geld opzij voor Logic Platinum, een muziekprogramma waarmee hij liedjes kan schrijven, hoewel zijn band Skinner Box min of meer uit elkaar is omdat de leden inmiddels door het hele land verspreid op universiteiten of in afkickklinieken zitten. Hij wil ook een Cinema HD hebben, plus een drieëntwintig inch flatscreen bij de Power Mac G5 die hij gaat aanschaffen. Dat kan hij weliswaar allemaal met personeelskorting kopen, maar dan nog kost het bij elkaar meer dan één Segway Human Transporter, iets waarvoor ik mijn vader aldoor aan zijn hoofd zeur, maar tot nu toe zonder resultaat.

Trouwens, er is helemaal niets aan om met je vriendje in een koetsje door Central Park te rijden als je bodyguard daarbij aanwezig is.

Dus als we niet bij mij thuis bezig waren met kinderslotjes installeren, zaten we tijdens de vakantie meestal bij Michael thuis. Dan kon Lars in ieder geval naar ESPN kijken of chatten met de dokters Moscovitz, als ze tenminste niet met patiënten bezig waren of in hun buitenhuis in Albany verbleven. Ondertussen hielden Michael en ik ons met écht belangrijke zaken bezig zoals knuffelen en zo veel mogelijk Rebel Strike spelen, voordat we op 1 juli wreed door mijn vader zouden worden gescheiden (in ieder geval was dat beter dan dat ik al op 1 juni naar Genovia zou zijn vertrokken, zoals hij eerst van plan was erdoor te drukken).

Helaas brak die treurige dag maar al te snel aan, en was ik gedwongen de laatste zomermaanden in Genovia door te brengen. In ieder geval heb ik ervoor gezorgd (als alles tenminste volgens plan verloopt) dat daar de baai niet werd overwoekerd door dodelijke algen. Die waren in de Middellandse Zee geloosd door het Oceanografisch Museum & Aquarium in

het naburige Monaco. (Dat ontkennen ze natuurlijk in alle toonaarden. Net zoals ze ook ontkennen dan prinses Stephanie de auto bestuurde toen ze samen met haar moeder van die rots stortte. Maar dit terzijde.)

En hier eindigde dus mijn stukje. Tenminste, voor mevrouw Martinez. Want je moet weten dat ik stiekem tienduizend *Aplysia depilans* zeeslakken heb besteld en losgelaten in de Baai van Genovia, nadat ik op internet had gelezen dat zij de enige natuurlijke vijanden van de algen zijn. De rekening heb ik gestuurd naar het ministerie van Defensie van Genovia.

Het is me echt een raadsel waarom iedereen daar zo boos over was. De algen verstikten het wier dat een voedselbron is voor de honderden diersoorten die in die baai voorkomen! En bovendien zijn die slakken net zo giftig als de algen, dus daarbeneden zal heus geen beest ze opeten en daardoor de voedselketen verstoren. Ze gaan vanzelf dood als de algen, hun enige voedselbron, zijn verdwenen. En dan is de baai weer helemaal zoals die was. Dus waar hebben we het over?

Echt hoor, het is net alsof ze het idee hebben dat ik hier van tevoren helemaal niet over heb nagedacht. Geen mens beseft blijkbaar dat ik me niet alleen maar bezighoud met feesten en *Jackass*, zoals een normale tiener. Ik ben namelijk Bijzonder en Getalenteerd. Nou ja, in zeker opzicht dan.

Dat iedereen zo woedend was over die slakken, heb ik maar uit mijn opstel weggelaten. Maar toch weet ik zeker dat mevrouw Martinez onder de indruk zal zijn. Ik heb er namelijk een heleboel literaire verwijzingen in verwerkt. Misschien kan ik dit jaar met haar hulp wel iets anders gaan schrijven dan de kantinenieuwtjes in de schoolkrant. Of aan een roman beginnen en die laten uitgeven. Net zoals dat meisje over wie ik in de krant las dat ze een vernietigend boekje heeft opengedaan over

haar medeleerlingen op school. En nu wil niemand meer met haar praten en moet ze geloof ik haar schoolopleiding via internet volgen.

Eerlijk gezegd lijkt me dat helemaal niks.

Maar ik zou het ook niet erg vinden als ik niet meer over dubbele hamburgers hoefde te schrijven.

Nee hè, Lilly stuurt me weer een berichtje. Weet ze dan niet dat het al over elven is? Ik heb mijn slaap hard nodig, want ik wil er zo goed mogelijk uitzien voor...

Huh, ik wou net zeggen voor Michael. Maar die zie ik morgen niet op school.

Dus wat kan mij het schelen hoe ik eruitzie.

DkLouie: Wat moet je nou weer?

WomynRule: Gossie, beetje aangebrand? Ben je uitgepraat met mijn broer?

DkLouie: Ja.

WomynRule: Ik word kotsmisselijk van jullie twee. Dat weet je wel, hè?

Arme Lilly. Ze heeft zó lang verkering gehad met Boris dat ze er nog steeds niet aan gewend is dat ze geen vriendje meer heeft om haar welterusten te wensen. Niet dat Michael naar bed ging toen hij me net belde, maar hij wist dat ik dat wel aan het doen was. Michael hoeft niet zo vroeg te gaan slapen, want hij heeft expres colleges uitgekozen die na tien uur beginnen omdat hij dan kan uitslapen. Maar hij heeft dit semester wel achttien extra college-uren genomen, zodat hij binnen drie jaar in plaats van vier kan afstuderen. Dat doet hij omdat hij dan een

jaar vrij kan nemen voordat hij zijn studie afrondt en ik ga studeren, zodat we ons daarna met z'n tweetjes kunnen inzetten voor Greenpeace om walvissen te redden.

Je kunt alleen maar bewondering hebben voor iemand die zo goed vooruit kan plannen. Ik weet bijvoorbeeld niet eens wat ik elke dag als lunch wil eten, dus maakt dit behoorlijk veel indruk op mij.

Michael is echt een fantastische planner. Als de lift het niet had begeven, had het hem dit weekend maar anderhalf uur gekost om zijn kamer op Columbia in te richten. Dat komt doordat hij alles zo goed heeft geregeld. Ik ben er met zijn familie naartoe gegaan om te helpen en zijn kamer te bekijken. En natuurlijk ook om hem te zien, want dat was de eerste keer sinds ik terug was uit Genovia. Ik weet niet hoeveel Columbia vraagt voor een studentenkamer, maar ik was niet erg onder de indruk. Michaels kamer is nogal betonblokkerig en kijkt uit op een luchtkoker.

Michael kan dat allemaal niets schelen. Het enige waarover hij zich zorgen maakte, was of er wel genoeg computeraansluitingen waren. Hij keek niets eens in de badkamer om te zien of er van die meurende plastic douchegordijnen hingen, of van die nog veel goorder ruikende latex exemplaren (ik heb even voor hem gekeken, latex. Getsie.)

Jongens zijn echt heel raar.

Ik heb zijn kamergenoot niet gezien, want die was nog niet verhuisd, maar op het bordje van de deur stond zijn naam: Doo Pak Sun. Ik hoop maar dat Doo Pak aardig is en niet allergisch voor kattenhaar of iets dergelijks. Want ik ben van plan om héél vaak in hun kamer te komen.

Toch had ik met Lilly te doen, omdat ze geen echte ware liefde had en zo, dus wilde ik haar even opvrolijken.

DkLouie: Maar het is toch wel fijn dat je het huis nu helemaal voor je alleen hebt? Dat wilde je toch altijd zo graag? Geen Michael die alle Sunny D opdrinkt en alle Honey Nut Cheerios opeet?

WomynRule: Hou toch op! Opeens moet ik ALLES doen! Mijn eigen huishoudelijke taken, plus die van Michael. En wie denk je dat er nu voor Pavlov zorgt?

DkLouie: Michael betaalt je er toch voor?

WomynRule: Maar twintig dollar per week. Hallo, ik heb het uitgerekend, dat is één dollar per vol drollenzakje.

DkLouie: HOU DAT NOU MAAR VOOR JE!!!

WomynRule: Volgens mij vind jij het heerlijk om de drollen van Dikke Louie op te scheppen.

DkLouie: De drolletjes van Dikke Louie zijn schattig, net als hij. En dat geldt ook voor Rocky.

WomynRule: Eh, wie zei er nou 'hou dat maar voor je'? Babylikker.

DkLouie: Hier zal ik maar niet op ingaan. Hé, denk je dat mevrouw Gupta in haar brief bedoelde dat je geen shorts onder je schoolrok mag dragen omdat Lana vorig jaar steeds de shorts van Josh onder haar schoolrok aanhad? Je weet wel, om te laten zien dat Josh van háár was.

WomynRule: Geen idee en het kan me ook niks schelen. Zeg, over morgen gesproken...

DkLouie: Hoezo?!

WomynRule: Laat maar. Slaap lekker.

DkLouie: ???????????

WomynRule: Einde.

Echt hoor. Ik kan nu al zeggen dat het leven van een tweedeklasser echt geen lolletje is.

Dinsdag 8 september, groepslokaal

Jemineetje.

Ik dacht dus dat het erg vervelend zou worden om hier weer te zijn. Ik bedoel, school is natuurlijk gewoon al vervelend, maar zonder Michael is het hélemaal niet leuk meer.

En toen ik voor Lilly's huis stopte, werd ik echt een beetje verdrietig omdat Michael niet op me stond te wachten. Nu stond alleen Lilly daar, zonder make-up, met tienduizend haarspeldjes in, zonder contactlenzen en met een bril op haar neus. Omdat Lilly haar enige ware liefde aan iemand anders is kwijtgeraakt, besteedt ze bijna geen aandacht meer aan haar uiterlijk. Grandmère zou ervan gruwen.

Zeg, hallo, ik heb nog minder reden dan Lilly om er goed uit te zien, maar ik heb vanmorgen tenminste wel mijn haar gewassen. Nou ja, ik heb natuurlijk nog steeds een vriendje, alleen studeert hij nu ergens anders. Lilly moet de man van haar dromen nog tegenkomen.

Maar als ze niet een beetje haar best doet er wat aantrekkelijker uit te zien, zal iedereen met een boog om haar heen lopen, net zoals toen met Britneys laatste album.

Toch zei ik dat maar niet, wat dat is nou niet echt iets wat je 's morgens als eerste wilt horen.

Trouwens, Lilly zei dat we het eerste uur gym hebben. En waarom zou je douchen vóór gym als je daarna ook weer moet douchen?

Daar zit wat in.

Alleen denk ik dat Lilly een beetje spijt had van haar beslissing om niet onder de douche te gaan, want toen we voor de deur van de school uit de limo stapten, kwam Tina Hakim Baba namelijk tegelijkertijd uit haar limo gestapt. En het was meteen van: 'O, jemig, wat fijn om jullie te zien!!!' Heel tactvol zei ze

niets over Lilly's bril en al die speldjes in haar haar. Terwijl we elkaar stonden te omhelzen, kwam er een jongen aanlopen. Eerst dacht ik even: alarm, hunk in aantocht, want ik mag dan wel bezet zijn, maar ik ben niet dood, ofzo!! En hij was zo groot en breed en blond en zo.

Maar toen hij Tina's hand pakte, drong het tot me door dat het Boris Pelkowski was!!!

Boris Pelkowski is tijdens de zomervakantie een hunk geworden!!

Ik weet dat het volslagen krankzinnig klinkt, maar ik weet niet hoe ik het anders moet uitdrukken. Tina vertelde dat Boris' vioollerares tegen hem had gezegd dat hij meer uithoudingsvermogen zou krijgen en beter zou gaan spelen als hij met gewichten ging trainen. En dat heeft hij dus gedaan. Waarschijnlijk heeft hij ongeveer vijftien kilo pure spiermassa gekweekt.

Bovendien heeft hij zijn ogen laten laseren om van zijn bijziendheid af te komen, want dan hoeft hij tijdens het spelen niet steeds zijn bril hoger op zijn neus te duwen.

Hij heeft ook geen buitenboordbeugel meer en is waarschijnlijk vijf centimeter gegroeid, want hij is nu net zo lang als Lars en net zo breed in de schouders.

En in zijn haar heeft hij van die blonde plukken. Tina zegt dat dat van de zon in de Hamptons komt.

Echt hoor, het lijkt wel alsof hij zo'n total make-over heeft ondergaan.

Ze zijn alleen vergeten te zeggen dat hij niet zijn trui in zijn broek moet proppen. Dat is het enige waaraan ik hem herkende. Dat dus, en hij stinkt nog steeds uit zijn mond. Ik zei: 'Hoi, wie ben... Bóris?'

Maar Lilly was nog veel verbaasder dan ik. Ze bleef hem ongeveer een minuut lang aanstaren toen hij 'Hallo, hoi, alle-

maal' zei, want zelfs zijn stem was veranderd. Die is nu wat zwaarder, net zoals van die jongen die Harry Potter speelt.

Toen Lilly hem eindelijk herkende, trok ze een gezicht en liep zonder verder iets te zeggen de school in.

Maar toen ik haar in het meisjestoilet zag, vlak voordat de bel ging, had ze lipgloss op, haar contactlenzen ingedaan en een paar speldjes uit haar haar gehaald.

Zodra Lilly weg was, klampte ik Tina aan en zei: 'Jemig, wat heb je met Boris gedaan?' Natuurlijk fluisterde ik dat in haar oor, want ik wilde niet dat Boris dit hoorde.

Tina bezwoer me dat het niet door haar kwam. Ze zei ook dat ik er niets over moest zeggen waar Boris bij was, omdat hij nog helemaal niet wist dat hij een hunk was. Tina probeert te voorkomen dat hij beseft dat hij nu een hunk is, want ze is bang dat hij haar dan zal dumpen voor iemand die slanker is dan zij.

Alleen zou Boris zoiets nooit doen, want elke keer dat hij naar Tina kijkt, zie ik die verliefde blik in zijn ogen. Zeker nu hij niet meer van die dikke brillenglazen heeft.

Jeetje! Wie had gedacht dat iemand binnen een paar maanden zo kon veranderen?

Toch denk ik dat Tina wel een beetje gelijk heeft. Want nu de hoogste klas van school af is, zijn er een heleboel mooie meisjes die zonder vriendje zitten. Zoals Lana Weinberger bijvoorbeeld. Niet dat Boris óóit iets met Lana zou willen. Maar toen ze bij het fonteintje stond zag ik wel dat ze hem met haar vinger wenkte, zo van: kom jij eens hier. Totdat ze erachter kwam wie hij was. Toen stak ze gauw diezelfde vinger in haar keel om net te doen alsof ze moest kotsen.

Ik denk dus dat sommige mensen in de vakantie helemaal niet zijn veranderd.

Shameeka zei dat ze had gehoord dat het helemaal uit is tussen Lana en Josh. Blijkbaar was hun liefde niet sterk genoeg,

want Lana bracht de vakantie door bij haar familie in East Hampton en Josh was in Southampton. Die afstand van zes kilometer was kennelijk te groot voor hen, niet alleen omdat hij deze herfst naar Yale gaat, maar ook omdat afgelopen zomer op Long Island de stringbikini's erg in de mode waren.

Zeg, neem me niet kwalijk: zes kilometer is helemaal niets! Laten we het eens over duizend kilometer hebben. Dat is de afstand tussen Genovia en New York. En toch is het Michael en mij gelukt om elkaar te blijven zien tijdens de zomervakantie.

Arme, arme Lana. Ik vind het hartstikke zielig voor haar. Níét dus! Voor de eerste keer in mijn leven heb ik een vriendje, en Lana niet. Het is niet echt prinsesachtig om je te verkneukelen over de narigheid van anderen, maar toch. Net goed!

En nu Josh van school af is, kan ik ook weer bij mijn kluisje. Daar kon ik het afgelopen schooljaar niet bij omdat Lana en hij daar steeds met hun tongen in elkaars mond tegenaan stonden geplakt.

Ik moet wel zeggen dat de jongen die Josh' kluisje heeft gekregen er nogal aantrekkelijk uitziet. Hij komt vast van een buitenlandse school in het kader van een uitwisselingsproject, want ik heb hem nooit eerder gezien. Maar hij is absoluut geen brugklasser, want hij heeft baardstoppeltjes. Om acht uur 's ochtends. En toen hij bezig was zijn gymtas in zijn kluisje te proppen, en per ongeluk een plens van zijn koffie-verkeerd over mijn laars morste, zei hij: 'Sorry, hoor,' met een Zuid-Amerikaans accent, net zoals die vent met wie Audrey Hepburn ervandoor ging in *Breakfast at Tiffany's*, voordat ze weer haar verstand ging gebruiken (of juist niet, volgens Grandmère).

Het is zo verschrikkelijk saai om hier te zitten luisteren naar al die aankondigingen. We hebben vanmiddag een schoolbijeenkomst, dus is het zevende uur iets korter. Wat dan nog? Meneer G. (Fránk, Fránk) ziet er doodmoe uit, en zo voel ik me

ook. Ik zweer het, ik houd van Rocky, met elke vezel in mijn lichaam, zelfs bijna net zo veel als van Dikke Louie, maar dat jongetje heeft een paar longen! Echt hoor, hij houdt niet op met huilen totdat iemand voor hem gaat zingen.

En dat is oké als je wakker bent, want sinds ik *Crossroads* heb gezien, pieker ik steeds maar over wat ik moet zingen wanneer ik onderweg met karaoke geld voor een motel bij elkaar moet zien te krijgen. Het komt dus goed uit dat Rocky zo van zingen houdt, want dan kan ik alvast oefenen. Ik heb 'Milkshake' al helemaal onder de knie. En ik ben nu bezig met 'Man! I Feel Like a Woman' van Shania Twain.

Maar als hij midden in de nacht met dat huilen begint... O man. Ik ben dol op hem, maar zelfs ik, de babylikker, zou dan het liefst een kussen over mijn hoofd doen en het negeren. Trouwens, het is zó oneerlijk dat Lilly me babylikker noemt, want ik heb helemaal niet Rocky's vachtje eraf gelikt zoals die rode panda in *Animal Planet* met haar jong heeft gedaan!

Maar ik kan hem niet negeren. Omdat thuis verder iedereen dat doet. Volgens mam verwen je hem als je hem steeds oppakt en gaat zingen wanneer hij huilt.

Maar volgens mij huilt hij niet voor niets. Er zou bijvoorbeeld wel een dekentje om zijn nek kunnen zitten zodat hij bijna stíkt! Als niemand gaat kijken, kan hij 's morgens wel dóód zijn.

Dus moet ik me weer uit bed slepen en zing dan voor hem het snelste liedje dat ik ken: 'Yes U Can' van Jewel, en zodra hij weer indommelt, duik ik mijn bed in en probeer in slaap te vallen voordat hij weer begint.

O, mijn mobieltje trilde net. Een berichtje van Michael.

SUC6 VANDAAG. LIEFS M.

Hij is vroeg opgestaan om me succes te wensen!!! Je kunt je toch geen liever vriendje voorstellen?

Dinsdag 8 september, gym

Ik weet echt wel dat obesitas een epidemie is. Ik wéét dat iedere Amerikaan vijf kilo te zwaar is wat BMI betreft, en dat we allemaal meer moeten bewegen en minder eten.

Maar zeg nou eerlijk. Is dat een excuus om tienermeisjes te dwingen zich te verkleden, laat staan te douchen waar anderen bij zijn? Ik dacht het niet.

Alsof het nog niet erg genoeg is dat ik aan schoolgym moet doen. En alsof het erg niet genoeg is dat dat 's morgens als eerste moet. En alsof het niet erg genoeg is dat ik me moet uitkleden waar allemaal vreemden bij zijn.

Nee, en dat moet dan ook nog waar Lana Weinberger bij is. Die had namelijk ook het eerste uur gym.

Terwijl we onze gymspullen aantrokken, maakte ze de opmerking dat ze mijn Queen Amidala onderbroekje 'echt heel gaaf vond', op een toon waaraan je duidelijk kon horen dat ze dat helemaal niet vond. Terwijl ik die onderbroek alleen maar aanhad omdat die geluk zou brengen op mijn eerste schooldag, maar dat had dus niet gewerkt.

En toen wilde ze weten of er een economische crisis was in Genovia, omdat de koninklijke familie zijn ondergoed blijkbaar bij Target kocht. Alsof we ons allemaal ondergoed kunnen veroorloven van Agent Provocateur zoals Lana en Britney Spears.

Wat heb ik toch de pest aan haar.

Lilly zei dat ik me er niks van aan moest trekken, en dat Lana binnenkort 'haar verdiende loon zou krijgen'.

Wat dat ook mag betekenen.

Dinsdag 8 september, Engels

M – Wat is ze leuk! – Tina

Vind ik ook! Wanneer hadden we voor het laatst een lerares die geen corduroy aanhad?

Ja, hè. En dat haar! Geweldig dat het een beetje opwipt aan het eind.

Zo wil ik mijn haar ook. Lijkt op Chloe in *Smallville.*

Ja, nou! En haar bril!

Vlinderbril! Met bergkristal. Toch net Karen O?

Wie is Karen O?

De zangeres van de Yeah Yeah Yeahs.

Oké. Ik vind het meer Maggie Gyllenhall.

Volgens mij is het Gylenhaal.

Ik dacht Gellynhaal

JEZUS, STELLETJE IDIOTEN, HET IS GYLLENHAAL! WILLEN JULLIE ALLEBEI NOU EENS OPHOUDEN MET DIE STOMME BRIEFJES EN JE AANDACHT BIJ DE LES HOUDEN. MOETEN JULLIE NOU NET DE ENIGE LERARES DIE ONS MISSCHIEN IETS NUTTIGS ZOU KUNNEN LEREN TEGEN JE IN HET HARNAS JAGEN?-L

Wat is er met Lilly aan de hand?

Eh, kweenie. PMS?

Vast. Dus die broer van Maggie had iets met Kirsten Dunst, toch?

JA!

Wat lief!!!

Dinsdag 8 september, wiskunde

Oké.

Dit kan ik. Dit krijg ik voor elkaar.

Conversie

De conversie van een voorwaardelijke bewering bestaat uit de omwisseling van de hypothese en de conclusie.

Contrapositie

De contrapositie van een voorwaardelijke bewering bestaat uit de omwisseling van de hypothese en de conclusie, en vervolgens de ontkenning van beide.

Inversie

De inversie van een voorwaardelijke bewering bestaat uit de ontkenning van zowel de hypothese als de conclusie.

Hieruit volgt:

Logisch equivalent
Een voorwaardelijke bewering: a → b
De contrapositie van deze bewering: niet b → niet a

Logisch equivalent:

De conversie van de bewering: b → a
De inversie van de bewering: niet a → niet b

Neem me niet kwalijk, hoor, wátte?!

Oké, nog een keertje. Ik ben erin geslaagd te bewijzen dat ik de uitzondering ben die de regel bevestigt. Als het klopt dat je, als je in het begin slecht bent in wiskunde, het daarna plotseling

begint te begrijpen, dan zou ik verdorie de Stephen Hawking van de wiskunde moeten zijn. Maar wat denk je? Ik snap hier geen bál van.

En dan meneer Harding. Ja hoor, hij is echt heel erg. Hij heeft Trisha Hayes al aan het huilen gekregen vanwege haar gelijkbenige driehoeken, en dat is eigenlijk onmogelijk, want ze is dikke maatjes met Lana Weinberger, en ik weet ook bijna zeker dat ze een vrouwelijke cyborg is, zoals die in *Terminator 3*.

Tegen mij doet hij hartstikke aardig, maar dat komt alleen doordat mijn stiefvader een collega van hem is. O, en natuurlijk vanwege dat prinsessengedoe. Af en toe kan het helemaal geen kwaad om een Zweedse bodyguard van een meter negentig achter je te hebben zitten.

Eulerdiagram = breng twee of meerdere voorwaardelijke beweringen met elkaar in verband door ze als cirkels voor te stellen.

Dinsdag 8 september, Frans

Nou ja, ik heb tenminste één goede lerares. Mevrouw Martinez is ongelooflijk cool. Het is zo fijn om een lerares te hebben die jong genoeg is om te weten wat latex stekelarmbanden zijn, en *The OC*.

Toen mevrouw Martinez ons opstel over onze zomervakantie had opgehaald, zei ze: 'Ik wil even zeggen dat jullie altijd met vragen bij me kunnen komen, over alles, niet alleen wat Engels betreft. Ik wil jullie leren kennen als mens, niet alleen als leerlingen. Dus als er iets is, wat dan ook, waar jullie over willen praten, kom dan gerust langs. In mijn lokaal staat de deur altijd voor jullie open.'

Wauw. Een lerares op het Albert Einstein College die niet meteen na de les naar de docentenkamer verdwijnt? Niet te geloven!

Ik vraag me alleen af hoe lang mevrouw Martinez het zal volhouden om haar deur open te laten staan. Want toen ik het lokaal uitging, zag ik wel tien leerlingen snel naar haar bureau lopen om het met haar over hun persoonlijke problemen te hebben. Met Lilly helemaal voorop.

Ik hoop maar dat mevrouw Martinez Lilly de raad geeft om Boris uit haar hoofd te zetten. Ik wilde niks tegen Tina zeggen, maar het komt door de gedaanteverwisseling van Boris dat Lilly vandaag een rothumeur heeft. Niks PMS, zoals ik eerst zei. Het moet natuurlijk ongelooflijk irritant zijn als je ziet dat de jongen die je hebt gedumpt voor je ogen in Orlando Bloom is veranderd.

Nou ja, een Orlando Bloom die geen gevoel voor mode heeft en uit zijn mond stinkt.

Ik hoop dat Lilly niet zo veel beslag legt op mevrouw Martinez dat die straks geen tijd heeft om onze opstellen te

lezen. Want ik weet zeker dat als ze dat van mij heeft gelezen, ze het naar een literair agent of iets dergelijks zal sturen om het te laten uitgeven. Ik weet heus wel dat vijftien behoorlijk jong is voor een groot contract met een vooraanstaande uitgeverij, maar ik heb het er met mijn prinsessendom tot dusver ook heel aardig afgebracht. Ik ben ervan overtuigd dat ik wel een paar deadlines qua boeken aankan.

Mia – Die nieuwe, tweede rij van de deur, drie plaatsen terug. Jongen of meisje? – Shameeka.

Jongen, hij heeft een broek aan!

Hallo, ik ook. Ik ben vergeten mijn benen te scheren.

O!!!

Ja, zie je nou wat ik bedoel?

Hoe heet, hij/zij?

Perin. Tenminste, dat zei mademoiselle Klein toen ze de klassenlijst voorlas.

Is Perin een jongens- of een meisjesnaam?

Weet ik niet. Daarom vraag ik het aan jou.

Wacht even, ik heb niet opgelet tijdens het oplezen van de namen. Zei mademoiselle Klein Per-rin of Per-rien? Want als het een meisje was, zou het toch Per-rien zijn in het Frans?

Ja, maar mademoiselle Klein las de namen niet voor in het Frans, ze zei gewoon Perin.

Dus met andere woorden: het is een raadsel.

Helemaal. Ik wil gewoon weten of ik hem wel of niet leuk moet vinden.

Oké. We doen het volgende. We houden hem/haar in de gaten, en kijken naar welke toiletten hij/zij gaat voordat we gaan lunchen. Want iedereen gaat voor de lunch naar de toiletten om lipgloss op te doen.

Jongens niet.

Precies. Als hij niet naar de toiletten gaat, is het een jongen, en dan mag je hem leuk vinden.

Maar als het nou een meisje is dat geen lipgloss op doet...

Aargh! Raadsels zijn fijn in boeken, maar in het echte leven zijn ze strontvervelend.

Dinsdag 8 september, BLP

Wáárom heb ik toch gedacht dat dit jaar beter zou zijn dan het vorige? Afgezien van het feit dat Michael er niet is... Alleen maar omdat Josh en Lana niet staan te zoenen voor mijn kluisje?

Want toen Josh er nog was, werd Lana afgeleid en was ze niet bezig om doelwitten uit te kiezen en te vernietigen

Maar nu er geen man in haar leven is, heeft ze alle tijd om mij weer te pesten. Zoals vandaag tijdens de lunch, bijvoorbeeld.

Om te beginnen was het helemaal mijn fout om zo gulzig te zijn en terug te gaan naar de rij voor een tweede wafelijsje. Want echt, één wafelijsje moet genoeg zijn voor een meisje van mijn formaat.

Maar dat kwam doordat er iets niet in de haak was met die bonensalade. Je zou denken dat van al het geld dat het bestuur in de bewakingscamera's heeft geïnvesteerd, toch wel íéts aan de kantine kon worden besteed, zodat we hier iets fatsoenlijks te eten kunnen krijgen in plaats van bevroren zuivelproducten? Maar nee hoor. Lilly had gelijk: het is belangrijker om erachter te komen wie er sigaretten uitdrukt op Joe's kop dan ervoor te zorgen dat de leerlingen in staat worden gesteld iets voedzaams tot zich te nemen.

Terwijl ik stond te wachten op mijn wafelijsje, hoorde ik iemand mijn naam noemen. Toen ik me omdraaide zag ik Lana en Trisha Hayes, die zo te zien weer een beetje was bijgekomen van de uitbrander van meneer Harding. In ieder geval was ze weer in staat om samen met Lana te proberen me zo veel mogelijk te vernederen waar iedereen bij stond.

'Zeg, Mia,' zei Lana, toen ik de vergissing beging haar aan te kijken. 'Ben je nog steeds met die jongen? Je weet wel, die Michael, van die band?'

Ik had het natuurlijk kunnen weten. Lana was echt niet van plan het goed te maken nadat ze al die jaren zo gemeen tegen me was geweest. Ik had dat ijsje gewoon terug moeten leggen en weglopen.

Maar op de een of andere manier dacht ik dat ze er spijt van had dat ze die ochtend in de kleedkamer die opmerking over mijn ondergoed had gemaakt. Ik dacht – vraag me niet waarom – dat Lana in de zomervakantie misschien ook was veranderd, net zoals Boris. Niet uiterlijk natuurlijk, maar vanbinnen.

Ik had kunnen weten dat dit onmogelijk was. Want om je hart te laten spreken, moet je om te beginnen wel een hart hebben. En dat heeft ze duidelijk niet, want toen ik voorzichtig zei: 'Ja, Michael en ik gaan nog steeds met elkaar,' zei ze: 'Maar hij studeert nu toch?'

'Ja,' antwoordde ik. 'Aan Columbia University.' Dat kwam er nogal trots uit, want hallo, mijn vriendje heeft ervoor gekozen om naar een universiteit te gaan in dezelfde staat als waarin ik woon. Heel anders dan de ex van Lana.

'En, heb je het al gedaan?' vroeg Lana langs haar neus weg, alsof ze zich afvroeg of ik highlights in mijn haar had laten doen.

'Wat gedaan?' vroeg ik. Echt hoor, ik had geen idee waarover ze het had. Want wie vraagt er nou zoiets?

'Hét natuurlijk, idioot,' zei ze, en ze keek Trisha aan en vervolgens begonnen ze allebei hysterisch te lachen.

En opeens snapte ik wat ze bedoelde.

Echt, ik voelde mijn gezicht knalrood worden. Volgens mij was ik net zo rood als Lana's nagellak.

En voordat ik me kon inhouden, zei ik ontzet: 'Nee, natuurlijk niet!'

Ik was ook écht ontzet. Ik bedoel maar, dit onderwerp

bespreek ik nauwelijks met mijn vriendinnen. En zeker niet met mijn doodsvijandin. In de rij van de kantine.

Maar voordat ik de schok te boven was gekomen, ging Lana verder.

'Nou, als je hem niet kwijt wilt raken, zou ik maar opschieten,' zei ze terwijl Trisha achter haar stond te giechelen. 'Want studenten verwachten van hun vriendinnetjes dat ze Het doen.'

Studenten verwachten van hun vriendinnetjes dat ze Het doen.

Dat zei Lana tegen me. In de rij.

Terwijl ik haar volkomen verbouwereerd en vol afschuw aanstaarde, gaf ze me een por in mijn rug en zei: 'Ga je nog betalen of blijf je daar maar een beetje staan?' Toen drong het pas tot me door dat de rij was opgeschoven en dat ik voor de kassa stond met mijn smeltende wafelijsje in mijn hand.

Ik gaf de caissière geld en ging terug naar mijn tafeltje met Lilly, Boris, Tina, Shameeka en Ling Su. Daar bleef ik zonder iets te zeggen zitten totdat de bel ging.

En niemand had iets in de gaten.

Studenten verwachten van hun vriendinnetjes dat ze Het doen.

Zou dat nou echt waar zijn? Ik heb een heleboel films en tv-programma's gezien waarin studenten van hun vriendinnetjes verwachten dat ze Het doen. Zoals in *Fraternity Life* en *Spring Break* op MTV. En *Revenge of the Nerds*.

Maar de jongens in die films en tv-programma's hadden vriendinnetjes die ook studeerden. Die hadden echt geen verkering met tweedeklassertjes. Die binnenkort zakken voor wiskunde. Die toevallig prinses zijn van een klein Europees vorstendom. En bodyguards van een meter negentig hebben.

Jemineetje, verwacht Michael dat ik séks met hem heb? nú???

Natuurlijk ging ik ervan uit dat we óóit seks zouden hebben. Maar ik dacht dat óóit nog heel lang zou duren. Dat het net zo

ver weg was als de dag dat we samen de zee op gaan om voor Greenpeace al die walvisvaarders tegen te houden. Hij heeft me nog maar één keer een beetje intiem aangeraakt, dat was op het schoolfeest. En ik weet zeker dat hij daar niets aan kon doen. Bovendien kon ik niets voelen omdat er heel veel ijzer in mijn strapless bh zat.

Zou hij nou echt denken dat ik er steeds mee bezig ben om Het te gaan doen? Maar ik ben er nog lang niet aan toe om Het te doen. Ik bedoel maar, ik wil niet eens dat Michael me in mijn badpak ziet, laat staan bloot.

Jémig! Gisteravond vroeg hij of ik zaterdag wilde komen om te kijken hoe hij en Doo Pak de kamer hebben ingericht!!!

Misschien is het wel de bedoeling van deze uitnodiging dat we Het gaan doen, en heb ik dat niet door omdat ik zo onervaren ben op het pad der liefde!!!

Wat moet ik doen? Ik moet hier écht met iemand over praten. Maar met wie? Niet met Lilly, want Michael is haar broer. En ook niet met Tina, want die zegt dat het kostbaarste dat een vrouw een man kan geven, de bloem van haar maagdelijkheid is. Daarom bewaart zij zichzelf voor prins William, want die mag alleen maar met een maagd trouwen.

Maar ze zegt wel dat ze het niet erg vindt om haar bloem aan Boris te schenken als het tegen de tijd dat ons afscheidsbal plaatsvindt, nog steeds niets is geworden met prins William.

Ik kan het ook niet met mijn moeder bespreken, want die kan zich niet eens concentreren op de dingen waarop ze zich zou moeten concentreren, zoals het opvoeden van mijn kleine broertje. En daar kan ze echt geen tienerdochter bij gebruiken die met haar over seks wil praten.

Trouwens, ik weet precies wat ze dan zal doen: dan regelt ze een afspraak voor me bij haar gynaecoloog. Neem me niet kwalijk, getsie.

En vanzelfsprekend kan ik niets hierover tegen pap zeggen, want die zou meteen regelen dat Michael door de Koninklijke Garde van Genovia werd vermoord.

En Grandmère zou me alleen een klopje op mijn hoofd geven en vervolgens alles doorbrieven aan iedereen die ze kent.

Dus wie blijft er dan over? Dat zal ik je vertellen:

Michael. Ik moet het met Michael over seks met Michael hebben.

Ben ik wel goed bij mijn hoofd? Ik kan toch niet met een jongen over seks gaan praten! En zeker niet met deze jongen!!!

WAT MOET IK DOEN?????

O jee, ik denk dat ik een hartverlamming krijg. Serieus, mijn hart slaat wel een miljoen keer per minuut en barst zowat uit mijn borstkas. Volgens mij moet ik naar de ziekenboeg. Ik denk dat ik...

Mevrouw Hill vroeg me zojuist of het wel goed met me gaat. Omdat het de eerste schooldag is, doet ze net alsof ze van plan is ons het komende schooljaar te begeleiden. We moesten van haar een formulier invullen, en daarop vermelden wat voor doel we ons het komende semester stelden. Ik spiekte even bij Boris, en hij had opgeschreven: Het vioolconcert in a-klein van Antonin Dvořák uit mijn hoofd leren, en een Grammy winnen, net zoals mijn held Joshua Bell.

Eerlijk gezegd denk ik niet dat dit een erg realistisch doel is. Maar Boris is nu bijna net zo'n hunk als Joshua Bell, dus wie weet lukt het wel. Als het voor de Grammy-jury tenminste meetelt dat je een hunk bent.

Ik probeerde ook bij Lilly te kijken om te zien wat haar doel was, maar ze deed ontzettend geheimzinnig. Ze hield haar hand over het papier en zei heel gemeen en lomp: 'Rot op, babylikker.'

Ik vraag me af of ze zo onaardig tegen me zou doen als ze

zou weten wat voor een orkaan van gevoelens er op dit moment in mij woedt, omdat de toekomst van mijn relatie met haar broer op het spel staat.

Omdat ik niet wist wat ik voor doel moest opschrijven – ik weet niet eens wat ik dit semester met dit vak moet doen – schreef ik: een roman schrijven en niet zakken voor wiskunde.

Ongelooflijk dat mevrouw Hill niet in de gaten had dat ik een hartaanval had. Ze merkt trouwens toch nooit iets. Dat komt doordat ze altijd en eeuwig in de docentenkamer zit. Maar toch.

Ik zei dat het goed met me ging.

Maar eerlijk gezegd denk ik dat het nooit meer goed komt met me, dankzij Lana.

Dinsdag 8 september, staatsinrichting

GRONDBEGINSELEN VAN BESTUUR: GODDELIJK RECHT

Bestuur is ontstaan als goddelijke interventie in de menselijke betrekkingen. Naderhand vond verstrengeling plaats van religieuze en seculiere aangelegenheden. Een in naam van God aangestelde heerschappij werd minder snel in twijfel getrokken.

In de christelijke beschaving gold dit voor koningen die de kerkelijke zegen hadden ontvangen, en aldus rechtmatig heerser was.

Eh, hallo, behalve in Genovia, want de koning van Italië, en niet God, heeft de troon aan mijn voorouder Rosagunde geschonken, omdat ze zich op het slagveld zo dapper had geweerd. En dat deed ze ook in de slaapkamer, want daar vermoordde ze Alboin, de aartsvijand van het volk. Toch wel fijn om te weten dat in ieder geval één lid van de familie wist hoe ze zich in de slaapkamer moest gedragen. Zelf heb ik namelijk het gevoel dat ik danig tekort schiet op dat gebied, want ik wil niet eens naar mezelf kijken als ik in mijn blootje ben, laat staan dat iemand anders dat mag.

John Locke, een zeventiende-eeuwse filosoof, stelde zich te weer tegen het Goddelijk Recht. Hij en anderen zeiden: bestuur is alleen gewettigd als de mensen die bestuurd worden hiermee instemmen.

Ha! Heel goed, John Locke! En al die koningen en farao's maar zeggen dat God ze op de troon heeft gezet. Móói niet!!

Dinsdag 8 september, algemene natuurwetenschappen

Ja hoor. Alsof mijn dag nog niet erg genoeg was. Raad eens naast wie ik dit semester bij dit vak moet zitten? Nou, even kijken welke letter voor de T komt in het alfabet. Precies, de S van Kenny Showalter.

Echt. Is er vandaag soms iets mis met mijn karma? Jemig!

Blijkbaar is Boris niet de enige die afgelopen zomer is gegroeid. Kenny is ook een paar centimeter de lucht in geschoten. Alleen heeft Kenny zo te zien niets met gewichten gedaan. Dus lijkt hij nu op de Vogelverschrikker uit de *Tovenaar van Oz* in plaats van op Legolas.

Alleen zonder die puntige oren, natuurlijk.

De Vogelverschrikker had geen hersenen, maar Kenny wel. Dus hij herinnert zich nog reuze goed dat we verkering hadden. En dat ik hem heb gedumpt voor Michael. Nou ja, eigenlijk dumpte Kenny mij. En daar wil hij me nog maar al te graag aan herinneren. 'Mia, ik hoop dat je je gevoelens voor mij niet laat meespelen, zodat we dit semester op een professionele manier kunnen samenwerken,' zei hij.

Ik zei dat ik dat wel kon. Stel dat ik nog met Kenny zou gaan, en Lana had gezegd dat hij verwachtte dat ik Het met hem zou doen, dan had ik haar in haar gezicht uitgelachen.

Maar Michael is wat anders.

Bovendien, wat weet Lana trouwens van studenten? Ze heeft nog nooit verkering met een student gehad!

Ze zou het wel eens helemaal mis kunnen hebben wat Michael betreft. Hélemaal mis.

Ik wou dat ik dat tegen haar had gezegd toen we in de rij stonden.

Kenny vroeg net of ik van plan was dit semester weer de hele

tijd in mijn dagboek te schrijven onder de les, en hem net zoals vorig jaar bij biologie al het practicumwerk te laten doen. Pardon!! Volgens mij wordt hier de boel verdraaid. Ik heb afgelopen jaar onder de les níét in mijn dagboek geschreven.

Nou ja, misschien ook wel. Maar Kenny bood zelf aan om al het practicumwerk voor me te doen. En het daarna uit te schrijven. Dat soort dingen vindt hij nou eenmaal leuk. En hij is er ook goed in.

Als iedereen zich nou eens op zijn eigen sterke punten zou richten, zou het er in de wereld veel beter aan toe gaan.

Volgens mij moet ik nu maar stoppen met schrijven, want anders denkt Kenny nog dat ik misbruik van hem maak. En misschien verwacht hij dan wel dat ik Het met hem doe om het goed te maken. Jesses!!!!!!

Banen van hemellichamen – systematische veranderingen op lange termijn.

1. Banen vormen geen constante cirkel – extreme ellips in meer dan 100.000 jaar.
2. Hoek helling en as varieert – schommelt van 22 graden tot 24 graden 30 binnen 48.400 jaar.
3. Precessie – 21.000 jaar

HUISWERK

Gym: geen huiswerk

Wiskunde: oefeningen, pagina 11-13

Engels: *Strunk & White*, pagina 4-14

Frans: *écrivez une histoire*

BLP: geen huiswerk

Staatsinrichting: Wat vormt de basis voor de theorie van Goddelijk Recht van bestuur

Algemene natuurwetenschappen: paragraaf 1, geef een definitie van perigeum en apogeum

Dinsdag 8 september, de aula

Er zou toch een keer een soort grondwettelijk amendement moeten komen om schoolbijeenkomsten te verbieden. Echt.

Het is niet alleen een reusachtige aanslag op de geestelijke gezondheid van de leerlingen (Hoe kun je je aandacht houden bij de zoveelste vent in een rolstoel die zegt dat hij er spijt van heeft dat hij dronken achter het stuur is gaan zitten. Hallo, dat weten we nu wel). Maar bovendien denk ik dat die bijeenkomsten alleen maar een excuus zijn voor de leraren om geen les te hoeven geven. Ik zag mevrouw Hill net duidelijk met een sigaret voor de deur van de gymzaal staan. Volgens mij moeten er niet alleen aan de voorkant van de school bewakingscamera's komen.

En wanneer je duizend tieners bij elkaar in een ruimte zet, is dat gewoon vragen om moeilijkheden. Mevrouw Gupta moest al een keer de meisjes van het lacrosseteam luidkeels tot de orde roepen omdat ze met gummibeertjes naar de leden van de Toneelclub zaten te gooien, die voor de verandering eens een keer niets deden. Nou ja, behalve er gek uitzien met hun zwart geverfde haar en gezichtspiercings.

En ik zag ook een paar jongens en meisjes van de Computerclub onder de tribunes langs sluipen. Ze hadden een uitdrukking op hun gezicht die ik alleen maar als duivels kan beschrijven. Het zou me niets verbazen als bleek dat ze hun killerrobot daar hadden losgelaten om overal dood en verderf te zaaien.

Mevrouw Gupta liet weten dat ze reuze blij is dat we er weer allemaal zijn. Lilly's hand schoot omhoog en mevrouw Gupta zei: 'Even wachten, Lilly,' en ze ging gewoon door met praten. En nu zit Lilly naast me in zichzelf te mompelen.

Tina zit aan de andere kant van mij en speelt galgje met

Boris. Ze heeft alleen nog maar de letter E, en al een hoofd en een lijfje. De plekken die ze moet invullen zijn

_ _ _ _ _ _ _ E _ _

Ik snap niet dat ze het nog niet weet. Maar ik ga niet helpen. Want wat zij met haar vriendje doet, is haar eigen zaak. Net zoals wat ik met mijn vriendje doe, mijn zaak is. Of wat in ieder geval mijn zaak zou zijn als ik iets met hem aan het doen was. Maar dat is niet het geval. En dat kan tot enorme problemen leiden, waardoor hij het vast met mij gaat uitmaken voor een studente die Het wél met hem wil doen.

Maar waarom zou ik Het eigenlijk niet met hem willen doen? Iedereen doet Het voortdurend met elkaar. Ik zou hier niet zitten als mijn vader en moeder Het niet met elkaar hadden gedaan...

O, lekker hoor, nou moet ik toch echt overgeven. Waarom moet ik daar nou aan denken? Mijn vader en moeder die Het met elkaar doen? Jek. Jasses. Getver. Dat is nog erger dan de gedachte dat mijn moeder met meneer G....

Oké, nu moet ik dus écht kotsen. GETVERDEGETVER!!

Mevrouw Gupta heeft het over de geweldige buitenschoolse activiteiten die het Albert Einstein College biedt, en dat we daar echt allemaal gebruik van moeten maken. Lilly stak nog een keer haar hand op, en mevrouw Gupta zei weer: 'Even wachten, Lilly.' Niemand die er aandacht aan schenkt.

Tina heeft nog een letter. Nu staat er:

_ _ _ _ _ A _ E _ _

Boris heeft nu twee armen aan zijn mannetje. Waarom probeert Tina nou niet de letter L? Dit is zo ongelooflijk irritant.

Mevrouw Gupta stelt nu de verschillende groepen leerlin-

gen voor om te laten zien hoeveel buitenschoolse activiteiten het AEC te bieden heeft. Het blijkt dat die nieuwe jongen, die Josh' kluisje heeft gekregen en die de koffie-verkeerd op mijn laars heeft gemorst, uit Brazilië komt via een uitwisselingsproject. Hij heet Ramon Riveras en gaat deel uitmaken van het voetbalelftal.

Hij zal vast alle vrouwelijke voetbalsupporters heel blij maken. Zeker als hij na een overwinning zijn shirt uittrekt en ermee in de rondte zwaait, zoals Josh altijd deed.

Ramon zit bij Lana en Trisha en alle andere populaire types. Hoe wist hij dat? Ik bedoel, hij komt niet eens uit dit land! Hoe kon hij nou weten welke leerlingen populair zijn? En dat hij daarbij hoort en bij hen moest gaan zitten? Is dat gevoel bij populaire mensen misschien gewoon aangeboren? Hebben ze dat misschien van nature?

Mevrouw Gupta heeft het over de leerlingenraad en dat we ons daar allemaal kandidaat voor moeten stellen. Het is volgens haar een geweldige kans om je enthousiasme voor de school te tonen en het staat ook nog goed op je cv. Ze doet net alsof iedere leerling schoolvoorzitter kan worden. Maar dat is flauwekul, want iedereen weet dat alleen populaire leerlingen tot schoolvoorzitter worden gekozen. Lilly heeft het vorig jaar geprobeerd, maar het is haar niet gelukt, hoewel degene die van haar heeft gewonnen niet eens slim was. Nee, vorig jaar werd ze op een gruwelijke manier verslagen door Nancy di Blasi, de aanvoerster van de cheerleaders (en kwade genius van Lana Weinberger). Die heeft zich voornamelijk ingespannen om via de verkoop van zelfgebakken taarten geld voor de cheerleaders in te zamelen voor een welverdiend uitstapje naar Six Flags, in plaats van zich sterk te maken om de omstandigheden van de leerlingen te verbeteren.

'Hebben we al nominaties voor de functie van schoolvoorzitter?' wil mevrouw Gupta weten. Lilly's hand schiet weer omhoog. Dit keer doet mevrouw Gupta alsof haar neus bloedt.

'Niemand?' vraagt mevrouw Gupta. 'Helemaal niemand?'

Tina zei net tegen Boris: 'Eh, goh, even kijken hoor. Komt er een Y in voor?'

'Alsjeblieft, zeg.' Ik kan me niet langer inhouden. Misschien komt het wel door de dreiging binnenkort te worden ontmaagd. Of misschien komt het wel doordat ik onder schooltijd geen galgje meer kan spelen met mijn grote liefde. Nou, om kort gaan riep ik: 'Joshua Bell, nou goed? Joshua Bell!!'

'Ooo,' zegt Tina. 'Je hebt gelijk!'

Ramon Riveras moet lachen om iets wat Lana in zijn oor heeft gefluisterd.

Lilly staat als een gek met haar arm te zwaaien. Ze is trouwens de enige die haar hand heeft opgestoken. Ten slotte kan mevrouw Gupta niet meer om Lilly heen. 'Lilly, we hebben het hier afgelopen jaar nog over gehad. Je kunt jezelf niet nomineren voor schoolvoorzitter. Dat moet iemand anders voor je doen.'

Lilly staat op, en ze zegt: 'Ik nomineer mezelf helemaal niet. Ik nomineer Mia Thermopolis!'

Dinsdag, 8 september, in de limousine op weg naar het Plaza Hotel

Echt hoor. Waarom ben ik eigenlijk bevriend met haar?

Dinsdag, 8 september, in het Plaza

De eerste prinsessenles van dit schooljaar. Godzijdank is Grandmère druk in gesprek aan de telefoon. Ze knipte alleen in haar vingers en wees naar de salontafel die in het midden van haar suite staat. Ik liep ernaartoe en zag dat de tafel bezaaid was met faxen en brieven van verschillende Franse wetenschappers en het Oceanografisch Instituut van Monaco.

Goh. Ik denk dat ze nogal woedend zijn vanwege de slakken.

Wat dan nog! Alsof ik nu niet veel en veel grotere problemen heb dan een stelletje nijdige zeebiologen. Hallo, als ik mijn vriendje niet kwijt wil raken, moet ik Het blijkbaar doen. En alsof dat niet erg genoeg is, ben ik ook nog genomineerd voor schoolvoorzitter.

Ik weet echt niet wat Lilly bezielt. Zou ze nou echt hebben gedacht dat ik gewoon had gezegd: 'O, schoolvoorzitter? Helemaal oké, hoor. Want ik ben de enige erfgenaam van de troon van een heel land. En ik heb toch niks anders te doen.'

Jemig! Ik greep haar arm vast en trok die omlaag, en vroeg: 'Lilly, waar ben je mee bezig???' Uiteraard fluisterde ik dat. Want alle hoofden in de gymzaal waren naar ons toe gedraaid. En iedereen zat ons aan te gapen, inclusief Perin en Ramon Riveras en die jongen die maïs in de chili con carne vies vindt, en van wie ik dacht dat hij van school af was. Maar dus niet.

'Niks aan de hand,' fluisterde Lilly terug. 'Ik heb een plannetje.'

Dat plannetje hield blijkbaar ook in dat ze Ling Su een keiharde trap tegen haar schenen gaf, totdat die piepte: 'Ik, mevrouw Gupta,' en mevrouw Gupta een beetje beduusd vroeg: 'Eh, zijn er nog mensen die deze nominatie steunen?'

Ik kon het bijna niet geloven. Het was net een nachtmerrie,

maar dan nog erger, want die jongen die een hekel aan maïs heeft, komt nooit in mijn nachtmerries voor.

'Maar ik...' wilde ik ertegenin brengen, maar toen gaf Lilly mij ook een rotschop tegen mijn scheenbeen.

'Mia Thermopolis aanvaardt de nominatie!' riep Lilly naar mevrouw Gupta.

Die keek alsof ze er geen bal van geloofde. 'Nou, als je het zeker weet, Mia,' zei ze zonder mijn antwoord af te wachten.

Het eerstvolgende dat tot me doordrong was dat Trisha Hayes opsprong en gilde: 'Ik nomineer Lana Weinberger voor schoolvoorzitter!'

'Wat ontzettend fijn,' zei mevrouw Gupta, toen Ramon Riveras zijn steun betuigde aan de nominatie van Lana. Maar wel pas nadat hij een elleboogstoot van Lana had gekregen. En niet zo zachtjes ook, zo te zien. 'Zijn er nog mensen uit de andere klassen die een nominatie willen indienen? Nee? Jullie gebrek aan animo is overduidelijk. Geweldig. Mia Thermopolis en Lana Weinberger zijn de genomineerden voor het schoolvoorzitterschap. Dames, ik vertrouw erop dat het een mooie verkiezingsstrijd wordt. Volgende week maandag wordt er gestemd.'

En dat was dus dat. Ik doe mee aan de verkiezing voor schoolvoorzitter. En mijn tegenstander is Lana Weinberger.

Mijn leven is voorbij.

Lilly zei steeds maar dat dat niet zo is. Ze bleef volhouden dat ze een plan heeft. Maar dat Lana het tegen me opneemt, hoorde niet bij dat plan. 'Niet te geloven dat ze dat doet,' zei Lilly toen we de school uit liepen na de bijeenkomst. 'Ze doet het alleen maar uit jaloezie.' Lilly zei dat het toch niets uitmaakt, omdat iedereen de pest aan Lana heeft en niemand op haar zal stemmen.

Maar het is helemaal niet waar dat iedereen de pest heeft

aan Lana. Lana is een van de populairste meisjes van school. Iedereen gaat op haar stemmen.

'Maar Mia, jij bent zo puur en je hebt een goed hart,' probeerde Boris me uit te leggen. 'Mensen met een goed hart verslaan altijd het kwaad.'

Eh, dat zal wel. Maar dat komt alleen maar voor in boeken als *The Lord of the Rings*.

En dat ik zo puur ben? Waarschijnlijk raak ik daardoor mijn vriendje kwijt.

En volgens mij zijn er in het verleden genoeg voorbeelden van mensen die helemaal geen goed hart hadden en toch een heleboel verkiezingen wonnen.

'Je hoeft geen vinger uit te steken,' zei Lilly toen Lars de deur openhield van de limo om naar Grandmère te gaan. 'Ik ben jouw campagneleider. Ik zorg voor alles. En maak je niet druk. Ik heb een plan.'

Ik weet niet waarom Lilly denkt dat ze me geruststelt door er maar op te blijven hameren dat ze een plan heeft. Het tegenovergestelde is het geval.

Grandmère heeft net opgehangen.

'Nou,' zegt ze. Ze is inmiddels al aan haar tweede cocktail. 'Ik hoop dat je nu je zin hebt. Het hele Middellandse Zeegebied is in rep en roer door die stunt die je hebt uitgehaald.'

'Niet iedereen, hoor.' Want tussen de stapel vond ik net twee faxen met steunbetuigingen aan mij, en die liet ik haar zien.

'Poeh!' was het enige dat Grandmère te zeggen had. 'Wie is er nou geïnteresseerd in wat een paar vissers te vertellen hebben? Die zijn toch helemaal niet deskundig op dit gebied.'

'Maar het zijn wel vissers uit Genovia, hoor. Mijn onderdanen. En het is toch mijn eerste plicht om de belangen van mijn onderdanen te behartigen?'

'Niet als het ten koste gaat van de diplomatieke betrekkingen met je buren.' Grandmère had haar lippen zo hard op elkaar geperst dat ze bijna niet meer te zien zijn. 'Dat was de premier van Frankrijk, en hij... '

Gelukkig ging de telefoon weer. Dit is dus echt geweldig. Ik had allang tienduizend slakken in de baai van Genovia gegooid als ik had geweten dat ik daardoor geen prinsessenlessen meer hoefde te volgen.

Toch is het wel een beetje vervelend dat iedereen zo kwaad is.

Jeminee. Van die Fransen had ik dat wel verwacht. Maar wie had er nou ooit gedacht dat zeebiologen zo snel aangebrand zouden zijn?

Maar werd er dan van me verwacht dat ik gewoon zou blijven toekijken terwijl killeralgen het bestaan bedreigen van gezinnen die al sinds eeuwen van de zee leven? En dan hebben we het nog niet eens over onschuldige schepseltjes als zeehonden en bruinvissen, die afhankelijk zijn van de wieren die de *Caulerpa Taxifolia* helemaal verstikken. Zou ook maar iemand zich kunnen voorstellen dat een milieuramp van zo'n grote omvang zich onder mijn neus zou voltrekken, in mijn eigen baai, terwijl ik, Mia Thermopolis, een manier wist (theoretisch gezien dan) om die een halt toe te roepen?

'Dat was je vader,' zei Grandmère, nadat ze de hoorn op de haak had gekwakt. 'Hij is vreselijk uit zijn doen. Hij heeft net bericht gekregen van het Oceanografisch Museum & Aquarium in Monaco. Het ziet ernaar uit dat een paar van die slakken van je in hun baai zijn terechtgekomen.'

'Mooi zo.' Ik houd wel van dit soort milieurelletjes. Dan hoef ik tenminste niet aan iets anders te denken. Zoals dat mijn vriendje me aan de kant zal zetten als ik Het niet met hem wil doen. En dat ik met het populairste meisje van school de

strijd aanga om het schoolvoorzitterschap.

'Mooi zo?' Grandmère sprong zo snel op uit haar stoel dat Rommel, haar dwergpoedeltje, van haar schoot viel. Gelukkig is Rommel dit soort dingen wel gewend, en heeft hij geleerd om op zijn pootjes terecht te komen, net als een kat. 'Mooi zo? Amelia, ik zal niet doen alsof ik dit allemaal begrijp – al dat gedoe over plantjes en een paar slakken. Maar uitgerekend jij zou toch moeten weten dat...' Ze pakte een van de faxen en begon die hardop voor te lezen: 'Wanneer een nieuwe soort in een vreemde omgeving wordt geïntroduceerd, dit tot een grote ramp kan leiden.'

'Zeg dat maar tegen Monaco,' zeg ik. 'Zij zijn begonnen met die Zuid-Amerikaanse algen in de Middellandse Zee te dumpen. Het enige wat ik heb gedaan, was Zuid-Amerikaanse slakken dumpen om hun rotzooi op te ruimen.'

'Heb je dan helemaal niets opgestoken van wat ik je het afgelopen jaar heb geleerd, Amelia?' wil Grandmère weten. 'Helemaal niets op het gebied van tact of diplomatie, laat staan je gezonde verstand gebruiken?'

'VOLGENS MIJ NIET!!!'

Oké, ik had natuurlijk niet zo hard moeten schreeuwen. Maar wanneer houdt ze nou eens op zich met me te bemoeien? Ziet ze dan niet dat ik veel belangrijkere dingen aan mijn hoofd heb dan me zorgen te maken over wat een paar Franse zeebiologen te zeuren hebben?

Ze werpt me een vuile blik toe. 'Nou?'

Dat is het enige wat ze zei: 'Nou?'

En hoewel ik weet dat ik hier spijt van zal krijgen, zeg ik: 'Hoezo, nou?'

'Nou, ga je me nog vertellen waarom je zo uit je doen bent?' wil ze weten. 'En probeer het maar niet te ontkennen, Amelia. Je bent net zo slecht in het verbergen van je gevoelens als je

vader. Wat is er vandaag op school gebeurd waardoor je zo overstuur bent?'

Ja hoor. Alsof ik mijn liefdesleven met Grandmère ga bespreken.

Hoewel, ik moet zeggen dat de laatste keer dat ik dat heb gedaan, met dat schoolbal, Grandmère me een paar waanzinnig goede adviezen heeft gegeven. Ik kwam tenslotte daardoor toch op het schoolbal terecht, waar of niet?

Maar ja, hoe kan ik nou tegen mijn grootmoeder zeggen dat ik bang ben dat mijn vriendje het uitmaakt als ik geen seks met hem wil?

'Lilly heeft me genomineerd voor schoolvoorzitter,' zei ik, omdat ik toch íéts moet zeggen, want anders zorgt ze ervoor dat ik geen leven meer heb. Dat is me wel eens eerder overkomen.

'Maar dat is toch geweldig nieuws!'

Heel even dacht ik dat Grandmère me een zoen ging geven of zoiets. Maar toen ik wegdook, deed ze net alsof ze zich alleen maar voorover boog om Rommel een aai over zijn kop te geven. Wat ze waarschijnlijk ook echt van plan was. Grandmère is niet zo van zoenen. Tenminste niet wat mij betreft. Rocky krijgt wel de hele tijd kusjes van haar. Terwijl ze eigenlijk helemaal geen familie van hem is.

Daarom heb ik altijd ontsmettende doekjes bij me. Om de kusjes van Grandmère van Rocky's gezichtje te vegen, bedoel ik. Je weet maar nooit waar Grandmère daarvoor met haar lippen aan heeft gezeten.

Nou ja.

'Het is helemaal niet geweldig!' riep ik tegen haar. 'Waarom ben ik toch de enige die dat beseft? Ik moet het opnemen tegen Lana Weinberger! Ze is het populairste meisje van de hele school!'

Grandmère roerde met het roerstaafje in haar cocktail.

'Absoluut een bijzonder interessante ontwikkeling,' zei ze peinzend. 'Maar er is geen enkele reden waarom je het niet van die Shana zou kunnen winnen. Jij bent prinses, weet je nog! En wat is zij?'

'Cheerleader,' zei ik. 'En ze heet Lana, niet Shana. En echt, Grandmère, in de echte wereld, zoals op school, is het geen voordeel om prinses te zijn.'

'Onzin,' zei Grandmère. 'Als je van koninklijken bloede bent is dat altijd een voordeel.'

'Ha!' zei ik. 'Dat zou je tegen Anastasia moeten zeggen!' Die hebben ze doodgeschoten omdat ze van koninklijken bloede was.

Maar Grandmère schonk totaal geen aandacht meer aan mij.

'Een schoolvoorzittersverkiezing,' mompelde ze in zichzelf, en ze keek afwezig. 'Ja, dat zou precies goed uitkomen...'

'Fijn dat ú het in elk geval leuk vindt,' zei ik niet erg aardig. 'Want er zijn nog wel andere dingen waarover ik me zorgen maak. Dat ik bijvoorbeeld niets bak van wiskunde. En daar komt nog bij dat ik verkering heb met een student...'

Maar Grandmère zat nu helemaal in haar eigen wereldje.

'Wanneer wordt er gestemd?' wilde ze weten.

'Maandag.' Ik kneep mijn ogen tot spleetjes. Ik had haar aandacht van Michael af willen leiden, maar inmiddels wist ik niet meer of dat wel zo verstandig was geweest. Ze had zich nu helemaal op die verkiezing geworpen. 'Hoezo?'

'O, zomaar.' Grandmère boog zich voorover, raapte alle slakkenfaxen op en gooide ze in de vergulde prullenbak naast haar bureau. 'Zullen we nu verder gaan met de lessen voor vandaag, Amelia? Gezien de omstandigheden lijkt het me handig

dat we nu maar even gaan oefenen op het spreken in het openbaar.'

Echt. Is het niet genoeg dat ik ben opgezadeld met een krankzinnige vriendin? Is het nou echt nodig dat mijn grootmoeder op precies hetzelfde moment haar verstand verliest?

Dinsdag 8 september, thuis

Alsof deze dag nog niet lang genoeg was geweest, trof ik thuis een grote chaos aan. Mam was bijna in tranen en liep met een krijsende Rocky in haar armen 'My Sharona' voor hem te zingen. Meneer G. zat aan de keukentafel in de telefoon te schreeuwen.

Ik wist meteen wat er mis was. Rocky heeft een hekel aan 'My Sharona'. Van iemand die haar drie maanden oude baby meeneemt naar een protestdemonstratie, waarbij een vuilnisbak door het raam van een Starbucks werd gegooid, kun je niet verwachten dat ze onthoudt welk liedje Rocky wel of niet leuk vindt. Maar van het stukje met 'M-m-m-my' gaat hij spugen als je hem op de maat daarvan wiegt, zoals mijn moeder aan het doen was. En ze had helemaal niet in de gaten dat er allemaal wit spul op haar schouder zat.

'Wat is er, mam?' vroeg ik.

Jeminee, ze begon meteen ongeveer de oren van mijn hoofd te schreeuwen.

'Mijn moeder!' gilde mam boven Rocky's gekrijs uit. 'Ze is van plan hier te komen, met Opie. Omdat ze de baby nog niet heeft gezien.'

'Eh,' zei ik. 'Oké. En dat is erg omdat...'

'Omdat ze mijn moeder is!' schreeuwde ze. 'Ik wil niet dat ze hier komt.'

'O, natuurlijk,' zei ik, en ik deed alsof ik het snapte. 'Dus ga je...'

'Daarnaartoe,' maakte mam mijn zin af, terwijl Rocky met hernieuwde kracht begon te krijsen.

'Nee,' brulde meneer G. in de telefoon. 'Twee stoelen. Gewoon twéé stoelen. De derde passagier is een baby.'

'Mam,' zei ik. Ik stak mijn armen uit en nam Rocky van haar

over, terwijl ik probeerde een nieuwe spuuggolf te ontwijken, die uit zijn mond spoot als lava uit de vulkaan de Krakatau. 'Vind je dat nou wel een goed idee? Rocky is nog een beetje klein om al te vliegen. Ik bedoel, al die lucht die maar circuleert. Er hoeft maar iemand met ebola of zoiets naast je te zitten niezen en dan gaat iedereen in het vliegtuig eraan. En hoe zit het met de boerderij? Heb je niet gehoord over die schoolkinderen op die kinderboerderij in Jersey die allemaal met E. coli besmet zijn geraakt?'

'Die risico's loop ik graag. Als ze maar niet hier komen,' zei mam. 'Wist je wat voor rekening van de minibar ze hadden die keer dat je vader ze in het SoHo Grand had ondergebracht?'

'Oké,' zei ik tussen de coupletjes van 'Independent Woman' door, waar Rocky altijd rustig van wordt. Hij houdt trouwens veel meer van R&B dan van rock. 'Wanneer gaan we dan?'

'Jij gaat niet mee,' zei mam. 'Frank en ik gaan met zijn tweeën. En Rocky natuurlijk. Je kunt echt niet mee, want je moet naar school. Frank neemt een dag vrij.'

Ik wist wel dat het te mooi was om waar te zijn. Ik bedoel niet al die gezondheidsrisico's voor mijn kleine broertje, maar dat ik op die manier naar Indiana kon ontsnappen. Dan hoefde ik niet door die hel van de verkiezing te gaan en ook niet mee te maken dat mijn vriendje het misschien ging uitmaken.

En nou ik er toch aan denk.

'Eh, mam,' zei ik, terwijl ik achter haar aan liep naar Rocky's kamer waar ze zo te zien bezig was geweest zijn schone kleertjes op te bergen, voordat Omie belde. 'Mag ik iets aan je vragen?'

'Tuurlijk.' Het klonk alsof mijn moeder niet echt in de stemming was voor een gesprek. 'Wat dan?'

'Eh...' Nou ja, ze had toch een keer gezegd dat ik alles met

haar kon bespreken? 'Hoe oud was je toen je voor het eerst seks had?'

Ik dacht echt dat ze zou zeggen: 'Toen ik op school zat,' maar ik denk dat ze het te druk had met Rocky's rompertjes met de tekst MIJN MAMMIE STEMT OMDAT ZE BOOS IS in het laatje van zijn commode op te bergen. Dus drong het eigenlijk niet tot haar door wat ik zei. 'O, jeetje, Mia, dat weet ik niet meer. Ik was denk ik vijftien of zo,' antwoordde ze zonder er echt bij na te denken.

En toen leek het alsof het tot haar doordrong wat ze had gezegd. Haar adem stokte in haar keel en ze keek me met grote ogen aan. 'Denk maar niet dat ik daar trots op ben!'

Blijkbaar besefte ze op hetzelfde moment als ik dat ik ook vijftien ben.

Vervolgens begon ze erop los te ratelen.

'Dat was nog in Indiana, Mia,' riep ze uit. 'Daar was niet zoveel te beleven. Toen. En het is ook nog eens twintig jaar geleden. De jaren tachtig! Het was daar toen zó anders!'

'Hallo,' zei ik, want ik heb echt wel elke aflevering gezien van *I love the 80's*, inclusief *I love the 80's strike back*. 'Omdat iedereen toen met beenwarmers liep?'

'Dat bedoel ik niet!' riep mam. 'In die tijd dacht iedereen dat George Michael hetero was. En dat het met Madonna bij één hit zou blijven. Het was allemaal zó anders!!!'

Ik wist niet meer wat ik moest zeggen. Het enige wat in me opkwam, was: 'Ik geloof echt niet dat papa en jij het voor het eerst hebben gedaan toen je víjftien was.'

Toen ik de uitdrukking op mijn moeders gezicht zag, zei ik: 'O jemig! Dat is waar ook!' Omdat ze mijn vader nog niet eens kende toen ze nog op school zat. 'Mam! Met wie dan?'

'Hij heette Wendell,' zei mijn moeder, en ze kreeg een dromerige blik in haar ogen. Misschien kwam dat doordat

Wendell een lekker stuk was geweest, maar misschien ook omdat Rocky was opgehouden met huilen. Hij kwijlde dan wel over het leeuwtjesembleem van mijn schoolblazer, maar in elk geval was het nu stil in huis. 'Wendell Jenkins.'

Wendell? De man aan wie mijn moeder de kostbare bloem van haar maagdelijkheid had geschonken, heette dus Wéndell???

Ik zou echt helemaal nooit seks willen met iemand die Wendell heet.

Maar ik heb dan ook grote bezwaren tegen seks met wie dan ook, dus mijn mening slaat nergens op.

'Goh,' zei mijn moeder, nog steeds met die dromerige blik in haar ogen. 'Ik heb al jaren niet meer aan Wendell gedacht. Wat zou er van hem zijn geworden?'

'Wéét je dat dan niet?' riep ik zo hard dat Rocky ervan schrok. Maar hij werd meteen weer stil toen ik even snel een coupletje zong uit 'Trouble' van Pink.

'Ik bedoel dat hij is afgestudeerd,' zei mijn moeder snel. 'En ik weet bijna zeker dat hij met April Pollack getrouwd is, maar...'

'O, nee!' Dit was echt te erg. Geen wonder dat mijn moeder is zoals ze is. 'Had hij tegelijkertijd verkering met een ander?'

'Nee, nee,' zei mam. 'Het was al uit met mij toen hij verkering kreeg met haar.'

Ik knikte begrijpend. 'Je bedoelt dat hij van je hield en je toen heeft verlaten?' Net zoals Dave Farouq El-Abar en Tina Hakim Baba!

'Nee, Mia,' zei mijn moeder lachend. 'Tjonge, je hebt er echt een handje van om alles op een country and western-nummer te laten lijken. We hadden verkering, en dat was reuze fijn, maar toen kwam ik erachter... Nou ja, ik wilde weg uit

Versailles, en hij niet, dus ging ik weg en hij bleef daar. En daarna is hij met April Pollack getrouwd.'

Net als Dean die met dat andere meisje trouwde in *Gilmore Girls*.

'Maar...' Ik keek mijn moeder aan. 'Hield je van hem?'

'Natuurlijk hield ik van hem,' zei mijn moeder. 'Goh, Wendell Jenkins. Ik heb al jaren niet meer aan hem gedacht.'

Jemig! Het is toch ongelooflijk dat mijn moeder geen contact meer heeft met de jongen die haar van haar maagdelijkheid heeft bevrijd. Op wat voor soort school zat ze toen eigenlijk?

'Waarom vraag je me al die dingen, Mia?' wilde mijn moeder uiteindelijk weten. 'Hebben Michael en jij...'

'Nee,' zei ik, en ik stopte Rocky vlug terug in haar armen.

'Mia, het geeft niets, hoor, als je met me over dat soort dingen...'

'Dat hoeft niet,' zei ik vlug. Heel vlug.

'Omdat je...'

'Laat maar,' zei ik weer. 'Ik moet huiswerk maken. Dag.'

Ik ging naar mijn kamer en deed de deur op slot.

Er is vast iets mis met me. Echt wel. Want je kon zó zien dat mam reuze fijne herinneringen had aan de seks met Wendell Jenkins. Toen ze Het deed. Iedereen vindt het reuze fijn om Het te doen. Zoals in de film en op tv en zo. Iedereen denkt blijkbaar dat Het doen de ultieme ervaring is.

Iedereen, behalve ik. Waarom ben ik de enige op de wereld die bij de gedachte aan Het doen helemaal geen gevoel krijgt... Alleen maar klamme handen. En dat niet op een fijne manier. Dat is toch niet normaal? Het moet wel een afwijking in mijn genen zijn. Net zoiets als de afwezigheid van borstklieren, en schoenmaat 42. Ik mis gewoon het gen voor Het doen.

Ik wil Het heus wel doen. Tenminste, dat denk ik. Wanneer Michael en ik aan het zoenen zijn en ik aan zijn nek ruik, krijg

ik het gevoel dat ik boven op hem wil springen. Dat is toch wel een aanwijzing dat ik Het wil doen.

Alleen, als je Het doet, moet je ook je kléren uittrekken, waar die ander bij is!!! Tenzij je natuurlijk een van die orthodoxe Joden bent die Het doen door een gat in het laken, zoals Barbra Streisand in *Yentl*.

En ik denk niet dat ik er al aan toe ben om me uit te kleden waar Michael bij is. Het is al erg genoeg dat ik 's morgens in de kleedkamer mijn kleren uit moet trekken waar Lana Weinberger bij is. Ik denk niet dat ik me ooit zou kunnen uitkleden waar een jongen bij is. En zeker niet een jongen op wie ik verliefd ben en met wie ik ooit wil trouwen. Als hij me natuurlijk vraagt, en ik ooit van dat spastische ik-wil-me-niet-uitkleden-waar-hij-bij-is afkom.

Maar ik zou het niet erg vinden om Michael zonder kleren te zien.

Is dat nou met twee maten meten?

Ik vraag me af of mijn moeder hetzelfde had met Wendell Jenkins. Dat zal toch wel, anders had ze Het nooit met hem gedaan.

Maar inmiddels is het meer dan twintig jaar later, en weet ze niet eens waar hij nu is.

Wacht even, ik kan hem vast wel opsporen. Ik kijk gewoon even op Yahoo! People.

O, nee Daar heb je hem! Wendell Jenkins! Er staat geen foto bij, maar hij werkt voor ... Jeminee, hij werkt voor de elektriciteitsmaatschappij van Versailles! Hij is iemand die kabels repareert wanneer het licht uitvalt vanwege een tornado of zoiets!!

Het is toch niet te geloven dat mijn moeder de bloem van haar maagdelijkheid heeft geschonken aan een vent die nu bij de elektriciteitsmaatschappij van Versailles werkt!

Er is heus niks mis met iemand die voor een elektriciteits-

maatschappij werkt. Eigenlijk niet zo veel verschil met een wiskundeleraar, volgens mij.

Maar meneer G. heeft in elk geval geen overall aan voor zijn werk.

Ik vraag me af of April Pollack, het meisje dat in plaats van mijn moeder mevrouw Jenkins werd, hier ook te vinden is.

O néé!!! Ja hoor! April Pollack werd in 1985 gekozen tot Maïsprinses van Versailles in Indiana!

Mijn moeder heeft Het met iemand gedaan die later met een Maïsprinses is getrouwd.

En dat is behoorlijk ironisch als je bedenkt dat mijn moeder een onwettig kind heeft gekregen van een prins! Ik vraag me af of Wendell hiervan op de hoogte is. Dat zijn ex, Helen Thermopolis, de moeder is van de troonopvolgster van Genovia. Ik weet zeker dat hij het helemaal niet zo fijn zou vinden dat hij haar heeft gedumpt voor Maïsprinses April als hij dat had geweten!

Hoewel, hij heeft haar helemaal niet gedumpt. Want mijn moeder zei dat ze uit elkaar waren gegroeid.

Zou dat ook met Michael en mij kunnen gebeuren? Zouden wij ook uit elkaar groeien? En zal Michael over twintig jaar getrouwd zijn met de een of andere Maïsprinses en niet met de prinses van Genovia?!!

AAAAARGH! Ik krijg weer een berichtje. Van wie nu weer?

Hellup! Het is Michael!

SkinnerBx: Hoi!

Sinds hij een Mac heeft, gebruikt Michael een andere screenname. Eerst was het LinuxRulz.

SkinnerBx: Hoe was je eerste dag?

O jee, hij weet nog van niks. Hoe zou dat ook kunnen? Hij was er namelijk niet bij. En Lilly zal het hem ook niet hebben verteld, want ze wonen niet meer in één huis.

DkLouie: Nou, gewoon.

Dat wás het ook. Mijn leven is net een soort achtbaan. De ene keer een en al plezier, gevolgd door vreselijke dieptepunten, afgewisseld door momenten waarin helemaal niets gebeurt en ik alles aan me voorbij laat trekken.

Ik vond dat ik maar van onderwerp moest veranderen.

DkLouie: En hoe was JOUW eerste dag?

SkinnerBx: Fantastisch! Vandaag heeft mijn docent milieuwetenschap uitgelegd dat over tien tot twintig jaar de olievoorraad is uitgeput. Je weet wel, de goedkoopste en meest doelmatige brandstof ter wereld, die we gebruiken in auto's, om onze huizen te verwarmen en verwerken in lippenbalsem. Toen honderd jaar geleden voor het eerst van aardolie gebruik werd gemaakt, telde de wereldbevolking twee miljard mensen. Inmiddels zijn het er zes miljard, een bevolkingsexplosie die in nauw verband staat met de onmiddellijke beschikbaarheid van deze brandstof. De aarde heeft niet voldoende olie voor al deze mensen. En omdat de wereldbevolking niet afneemt, wordt het verbruik van aardolie ook niet minder. Als we zo doorgaan, zal over ongeveer twintig jaar de voorraad aardolie uitgeput zijn. We moeten dus een manier vinden om aardolie onder de zeebodem aan te boren, zonder het milieu aan te tasten. Of overstappen op kernenergie, waterstofenergie of zonne-energie, want anders gaan we weer terug naar het stenen tijdperk, en zullen de mensen van honger omkomen en/of bevriezen.

DkLouie: Met andere woorden.... Over tien tot vijftien jaar zijn we er dus allemaal geweest?

SkinnerBx: In principe wel. Maar hoe is het met jou? Wat heb jij vandaag opgestoken?

Eh, dat je het met me uitmaakt als ik Het niet met je doe.

Maar dat kon ik natuurlijk niet zeggen. Dus vertelde ik Michael dat mijn moeder en meneer G. een bliksembezoek gaan brengen aan Indiana om Rocky aan zijn Opie en Omie te laten zien. En dat Lilly me weer eens een streek had geleverd. Dit keer door me voor te dragen als schoolvoorzitter. Maar dat ze ook heeft gezegd dat ik me geen zorgen hoef te maken omdat ze een plan heeft. En dat ik nu al een pesthekel aan wiskunde heb.

SkinnerBx: Hé... Gaan je ouders dit weekend naar Indiana?

DkLouie: Niet mijn ouders. Mijn moeder en meneer G.

Ik houd heus wel van meneer G, maar ik trek het echt niet als iemand doet alsof hij mijn vader is. Ik héb namelijk al een vader.

Ik neem het Michael niet kwalijk, hoor, want hij weet gewoon niet hoe het is om, zoals ik, uit een gebroken gezin te komen.

DkLouie: Waar zou je zus eigenlijk mee bezig zijn, denk je? Ik bedoel, ik zou echt de allerslechtste schoolvoorzitter aller tijden zijn.

SkinnerBx: Wanneer gaan ze weg?

Waarom blijft Michael er maar over doorgaan dat mijn moeder en meneer G. de stad uit gaan? Dit is toch echt wel het láátste waar ik me druk over maak.

DkLouie: Ik weet niet. Vrijdag geloof ik.

Opeens schiet me iets te binnen.

DkLouie: Wil je nog steeds dat ik zaterdag kom om kennis te maken met Doo Pak?

SkinnerBx: Natuurlijk. Maar ik kan ook naar jou toe komen.

DkLouie: Samen met Doo Pak?

SkinnerBx: Nee, zonder hem.

DkLouie: Is goed hoor. Maar waarom zou je, er is hier verder niemand, alleen ik.

O, nee hè, Rocky begint weer te huilen.
Ik ben geen babylikker. Écht niet!

SkinnerBx: Mia? Ben je daar nog?

Hoe bestaat het dat ze daar maar blijven zitten terwijl hij huilt. Dit is níét in de haak!

SkinnerBx: Mia?

DkLouie: Sorry Michael, ik moet ophouden. Ik spreek je later.

Ik vraag me af of er een vereniging voor Anonieme Babylikkers bestaat waarbij ik me kan aansluiten.

Woensdag 9 september, groepslokaal

Nou, Lana heeft flink de vaart gezet achter haar campagne om tot schoolvoorzitter te worden gekozen.

Toen Lilly en ik vanochtend de school binnen kwamen, waren alle muren letterlijk behangen met enorme glanzende posters met de tekst STEM LANA erop. Op sommige posters staat ze alleen met haar gezicht, terwijl ze breed lachend haar glanzende goudblonde haar achterovergooit. Op een andere steunt ze met haar kin op haar hand en heeft ze net zo'n engelachtige glimlach op haar gezicht als Britney op de cover van haar eerste album. Lana ziet er helemaal niet uit als iemand die je bij je behabandje grijpt en geniepig zegt: 'Waarom heb je een beha aan, je hebt toch niks om erin te stoppen?'

Of als iemand die in de rij tegen een meisje zegt dat studenten verwachten dat hun vriendinnetjes Het met ze doen.

Op andere posters staat Lana afgebeeld in volle actie, bijvoorbeeld terwijl ze in haar cheerleader-uniform een spagaat maakt. En op eentje staat ze in de jurk die ze op het schoolbal aanhad, ergens onder aan een trap. Ik weet niet waar dat is, want zo'n trap was er niet bij het schoolbal. Misschien in haar appartement? Dat weet ik natuurlijk niet, want ik ben daar nog nooit uitgenodigd.

Lilly wierp even een blik op al die posters en keek vervolgens naar die van haarzelf – echt waar, terwijl ik informatie over Wendell Jenkins aan het inwinnen was, heeft zij de hele avond posters zitten maken – en toen zei ze iets heel erg lelijks.

Lilly's posters zijn heus wel mooi, hoor. Er staat op: MIA AAN DE MACHT en PRINSESSENPOWER. Maar ze zijn wel van piepschuim (voor de stevigheid) met glitter erop gelijmd. Lilly heeft de school echt niet vol gehangen met glanzende full-colour foto's met mijn gezicht erop.

'Maakt niet uit, hoor Lilly,' zei ik heel aardig. 'Ik wil toch geen schoolvoorzitter worden, dus dit is helemaal goed.'

Zelfs Boris merkte dat Lilly behoorlijk ontdaan was, en had medelijden met haar. Dat vond ik natuurlijk heel erg lief van hem, als je bedenkt dat ze hem afgelopen mei zo verschrikkelijk op zijn hart heeft getrapt.

'Jouw posters zijn veel leuker dan die van Lana,' zei hij tegen haar. 'Want je ziet dat die echt uit het hart komen, en niet uit een of andere fotokopieerwinkel.'

Maar toch scheurde Lilly de posters doormidden en propte ze in een prullenbak die naast het kantoortje stond.

Toen zei ze een tikkeltje dreigend: 'Ze wil dus oorlog? Nou, die kan ze krijgen.'

Maar het kan ook zijn dat ze doelde op de brandade die vandaag op het lunchmenu staat in de kantine. Omdat in brandade schelvis is verwerkt, een vissoort die bijna is uitgestorven door overbevissing, is Lilly een nogal luidruchtige campagne begonnen tegen het gebruik ervan in de New Yorkse restaurants.

Ik zou echt graag willen dat de producenten die een optie hebben genomen op Lilly's programma een beetje opschoten, en een studio vonden om haar programma aan te kopen. Lilly heeft dringend een nieuw project nodig. Ze heeft veel te veel tijd over.

Sinds gisteravond heb ik niks meer van Michael gehoord. Ik hoop maar dat hij het te druk heeft met al die uitgeput rakende olievoorraden, en dat het niet komt doordat ik het soort meisje ben dat Het niet wil doen.

Woensdag 9 september, gym

Trefbal moest verboden worden.

Wat heb ik haar ooit misdaan? Ze gaat die verkiezing toch wel winnen.

Wat heeft het voor zin om een bodyguard te hebben als hij toestaat dat ik keihard bekogeld word met rode rubberen ballen?

Ik denk dat ik daar absoluut blauwe plekken aan over zal houden.

Woensdag 9 september, wiskunde

'als a dan b' en 'a alleen als b'

Het deeltje 'als en alleen als' wordt aangeduid met de afkorting 'alleen als' en door het symbool ↔

a ↔ b staat voor zowel a → b als b → a.

Is het omgekeerde van een ware bewering ook waar?

Neem me niet kwalijk maar

Wát???

Op mijn dij, waar Lana me met die bal heeft geraakt, verschijnt een Eulerdiagram.

Woensdag 9 september, Engels

Vind je die roze trui die mevrouw M. aan heeft ook niet te gek? Ze lijkt nu helemaal op Elle Woods! Als Elle Woods zwart haar zou hebben, tenminste – T.

Ja, wel leuk.

Alles oké? Kwaad om wat Lilly heeft gedaan? Ik denk dat je een prima schoolvoorzitter zou zijn.

Dank je, Tina. Eigenlijk dacht ik daar al niet meer aan. Er is ook zo veel gebeurd.

Wat dan? Dat gedoe met die slakken?

Hoe weet jij dat nou?

Het was gisteravond op het nieuws. Volgens mij zijn die mensen in Monaco nogal kwaad.

Ze hebben helemaal niet het recht om kwaad te zijn. Het is allemaal hún schuld!

Ja, daar had die reporter het ook over. Zit je daarover in?

Nee. Nou ja, een beetje. Ik bedoel, kun je een geheimpje bewaren?

Zeker weten, wat dacht je.

Weet ik, maar dit is écht geheim. Je mag níks tegen Lilly zeggen.

Erewoord.

Anders zeg ik tegen Boris...

Erewoord! Echt, ik zei toch erewoord!

Goed dan. Toen we gisteren in de rij stonden zei Lana dat studenten ervan uitgaan dat hun vriendinnetje Het met ze doet. En dat betekent dus dat Michael verwacht dat ik Het doe. Alleen weet ik niet helemaal zeker of ik dat wel wil. Nou ja, ik denk wel dat ik het wil, maar niet als het erop neerkomt dat ik me voor hem moet uitkleden. Toch denk ik dat je daar niet aan ontkomt. En ik dacht ook dat studenten het altijd met studentes deden. Maar ik ben geen studente, ik zit op school. Toen ik het er met mijn moeder over had, zei ze dat zij Het op haar vijftiende had gedaan met een jongen die Wendell Jenkins heet, maar die is toen met een Maïsprinses getrouwd die April heet, en daarna heeft mijn moeder hem nooit meer gezien. Stel je nou voor dat dat met Michael en mij gebeurt? Dat we Het dus doen, en dan raakt het uit omdat blijkt dat hij andere dingen wil dan ik en hij dan met een Maïsprinses trouwt? Dat overleef ik niet. Maar ja, mijn moeder zegt dat ze al in geen jaren meer aan Wendell heeft gedacht. Ik weet het echt niet meer. Wat moet ik doen?

Dat het tussen Wendell en je moeder niks is geworden, wil nog niet zeggen dat Michael en jij uit elkaar gaan. Wat is dat trouwens voor een naam, Wendell?

Wil je zeggen... dat ik Het moet doen?

Volgens mij weet Lana echt niet wat studenten doen. Ze kent helemaal geen studenten. Nou ja, misschien een paar corpsballen. En Michael is helemaal geen lid van het corps. Trouwens, Michael houdt echt van je. Dat zie je aan de manier waarop hij je naar kijkt. Als je Het niet wilt doen, moet je Het niet doen.

Ja, maar hoe zit het dan met wat Lana zei?

Michael is heus niet zo'n jongen die je dumpt omdat je Het niet met hem doet. Ik bedoel, dat geldt misschien voor de jongens die Lana kent. Zoals Josh Richter bijvoorbeeld. Of die Ramon. Hij lijkt me een oppervlakkig type. Maar Michael niet. Omdat hij echt om je geeft. Trouwens, ik denk dat Michael helemaal niet van je verwacht dat je Het met hem doet. Nog niet tenminste.

ECHT???

Echt. Dan zou hij wel een beetje te hard van stapel lopen, vind ik. Jullie gaan nog geen jaar met elkaar. Voordat je Het met een jongen doet, moet je hem minstens een jaar kennen, vind ik. En dan moet je Het voor de eerste keer doen na het schoolbal. Want als je Het voor de eerste keer doet, hoort een jongen een smoking aan te hebben. Dat is wel zo netjes.

Tina, het kostte me al moeite genoeg om Michael één keer zover te krijgen dat hij me meenam naar het schoolbal. Ik betwijfel ten zeerste of me dat nog een keer zal lukken.

Hm. Nou ja, een kroning telt ook. Het is natuurlijk net zo romantisch om Het voor het eerst te doen na je kroning.

Ik word pas gekroond als mijn vader dood is en ik de troon erf! Misschien ben ik dan wel net zo oud als prins Charles! Ik wil Het absoluut doen voordat ik stokoud ben, weet je. Alleen niet nú.

Nou, dan moet je dat gewoon tegen Michael zeggen. Het wordt tijd dat jullie een Goed Gesprek hebben. Je moet er heel open over zijn. Want een goede relatie vereist dat je goed met elkaar communiceert.

Hebben jij en Boris dat ook gehad? Ik bedoel een Goed Gesprek. Over Het doen?

Natuurlijk! Stel je voor dat het niets wordt tussen prins William en mij. Boris weet dat als ik hem ooit mijn kostbaarste kleinood zal schenken, dat na het schoolbal hoort te gebeuren

- **in een kingsize bed met witte satijnen lakens**
- **in een luxe suite met uitzicht op Central Park**
- **in hotel Four Seasons in East 57th Street**
- **met champagne en aardbeien in chocola bij binnenkomst**
- **na afloop een bad met aromatherapie**
- **en de volgende ochtend warme wafels voor twee personen.**

O, Tina, hoe moet ik dit nou zeggen... Ik denk eigenlijk dat Boris zich dat helemaal niet kan veroorloven. Ik bedoel maar, hij zit nog op school.

Weet ik. Daarom heb ik hem ook voorgesteld om zijn zakgeld op te sparen. En ook gezegd dat dat ene condoom dat hij de afgelopen twee jaar steeds in zijn portemonnee had, niet genoeg is.

Heeft Boris een condoom in zijn portemonnee??? Op dit moment, bedoel je?

O, ja. Hij is erg proactief. Dat is ook een van de redenen waarom ik van hem houd.

WILLEN JULLIE ALSJEBLIEFT OPHOUDEN MET BRIEFJES DOORGEVEN, EN OPLETTEN? DIT IS DE BESTE LERARES DIE WE OOIT HEBBEN GEHAD EN IK SCHAAM ME DOOD DAT JULLIE JE AANDACHT NIET BIJ DE LES KUNNEN HOUDEN – *wacht even. Was er iets met een condoom?*

Niks! Allemaal opletten.

Over wie hebben jullie het eigenlijk?

Over niemand, Lilly. Laat maar. Kijk, we krijgen onze opstellen terug.

Volgens mij denk je dat je me hiermee kunt afleiden. Ik wil weten waar jullie het over hebben. Wie loopt er met een condoom rond?

Opletten, Lilly!

Ja hoor, de pot verwijt de ketel dat hij zwart ziet. Wat heb jij gekregen? Een 10 zoals gewoonlijk, met je: ik heb altijd een 10 voor Engels?

Nou zeg, ik heb er tenslotte mijn best op gedaan.

Haha. Géén tien. Ik heb het je toch gezegd? Als je echt zo graag schrijfster wilt worden, moet je opletten onder de les.

Woensdag 9 september, Frans

Ik snap het niet. Ik snáp het niet.

Ik ben een getalenteerd schrijfster. Dat weet ik gewoon. En dat is me gezegd. Door diverse mensen.

Dat wil natuurlijk niet zeggen dat ik niets meer hoef te leren. Dat weet ik heus wel. Ik weet ook dat ik geen Danielle Steel ben. Nog niet. Ik weet dat ik nog een heleboel werk moet verzetten voordat ik de Booker Prize kan verwachten, of een andere prijs voor schrijvers.

Maar een 6?

Ik heb nog nóóit een zes gekregen voor een opstel.

Volgens mij is er hier sprake van een misverstand.

Ik was zo vreselijk van de kaart toen ik mijn opstel terugkreeg dat ik waarschijnlijk een hele tijd met open mond heb gezeten. In elk geval lang genoeg tot de rij voor het bureau van mevrouw Martinez was geslonken en ze mij in de gaten kreeg.

'Ja, Mia. Wilde je iets vragen?' vroeg ze.

'Dit is een zes,' kon ik met moeite uitbrengen, want mijn keel zat helemaal dicht. Het zweet stond in mijn handen. En mijn vingers trilden.

Omdat ik nog nooit een zes had gekregen voor een opstel. Nooit, nooit, nooit, nooit...

'Mia, je kunt erg goed schrijven,' zei mevrouw Martinez. 'Maar het ontbreekt je aan discipline.'

'O ja?' Ik ging met mijn tong langs mijn lippen, want die waren helemaal droog geworden, leek wel.

Mevrouw Martinez schudde meewarig haar hoofd.

'Ik weet wel dat het niet helemaal aan jou ligt,' ging mevrouw Martinez verder. 'Je hebt waarschijnlijk al die jaren steeds een tien gekregen voor Engels vanwege die soort slapstickachtige cartoonhumor en geinige verwijzingen naar de

populaire cultuur die je in je opstel verwerkt. Ik weet zeker dat de leraren hun handen vol hadden aan leerlingen die helemaal niet konden schrijven, en zich dus niet bekommerden om eentje die dat duidelijk wel kan. Maar snap je dat dan niet, Mia? Dit soort zelfingenomen, half grappige onzin hoort niet thuis in een serieuze literaire uiteenzetting. Als je jezelf geen discipline bijbrengt, word je nooit een echte schrijfster. Uit dit stuk blijkt dat je wel iets kunt met woorden, maar níét dat je schrijfster bent.'

Ik wist absoluut niet waar ze het over had. Het enige wat ik wist, was dat ik een zes had Een zés! Voor een opstel!

'En als ik nou een nieuw opstel schrijf,' stelde ik voor. 'Telt die zes dan niet mee?'

'Als het goed genoeg is,' zei mevrouw Martinez. 'Ik wil alleen niet dat je weer iets onzinnigs neerpent, Mia. Ik wil dat je er een gedachte in verwerkt. Ik wil dat je me aan het denken zet.'

'Maar,' protesteerde ik zwakjes, 'dat heb ik toch geprobeerd met dat stuk over de slakken...'

'Waarin je het storten van tienduizend slakken in de Baai van Genovia vergelijkt met de weigering van Pink om voor prins Charles op te treden omdat hij aan de jacht deelneemt?' Mevrouw Martinez rilde even. 'Nee, Mia. Dat heeft me niet aan het denken gezet. Ik heb alleen maar te doen met jouw generatie.'

Gelukkig ging toen net de bel, dus moest ik weg.

En dat kwam mooi uit, want ik stond net op het punt mijn tafeltje onder te kotsen.

Woensdag 9 september, BLP

Michael belde tijdens de lunch. Op het AEC mag je tijdens de les niet worden gebeld, maar in de pauze wel.

Hoe dan ook, hij zei: 'Wat was er gisteravond met je aan de hand? We waren aan het chatten en toen was je opeens weg!'

Ik: Ja nou, sorry hoor. Rocky werd wakker en begon te huilen en toen moest ik hem weer in slaap zingen.

Michael: O. Dus alles is oké?

Ik: Als je met oké bedoelt dat ik al na twee schooldagen niks van wiskunde terechtbreng, dat ik word gedwongen me kandidaat te stellen voor schoolvoorzitter, en dat mijn nieuwe lerares Engels vindt dat ik een totaal gebrek aan schrijftalent heb.

Michael: Dat klinkt helemaal niet oké, vind ik. Heb je al gepraat met – wie heb je eigenlijk? Harding? Dat is best een aardige gast – en hem gevraagd of hij misschien voor bijles kan zorgen? We kunnen natuurlijk ook zaterdag een hoofdstuk doornemen, want dan zie ik je toch. En hoe kan je lerares Engels nou zeggen dat je geen schrijftalent hebt? Je bent de beste schrijfster die ik ken.
En wat dat schoolvoorzitterschap betreft, Mia, je moet gewoon tegen Lilly zeggen dat haar plannetje je niks kan schelen, want dat je al genoeg aan je hoofd hebt. En dat je geen zin hebt om aan die verkiezing mee te doen. Wat kan je nou gebeuren?

Ha. Michael heeft gemakkelijk praten. Hij is bijvoorbeeld helemaal niet bang voor zijn zus – niet eens een heel klein beetje. Maar ik wel. En meneer Harding? Een aardige gast? Jemig, hij heeft vandaag een krijtje naar Trisha Hayes hoofd gegooid. Ik moet toegeven dat ik hetzelfde zou hebben gedaan als ik dat straffeloos had kunnen doen. Maar toch.

En hoe weet Michael nou wat voor soort schrijfster ik ben? Hij heeft nooit iets van me gelezen, behalve dan een paar artikeltjes voor de schoolkrant afgelopen jaar, en mijn brieven, mailtjes en berichtjes aan hem. En ik heb hem zeker niet mijn gedichten laten lezen. Want stel je voor dat hij daar niets aan vindt? Dan zou mijn schrijversziel dodelijk gekwetst worden.

Nog dodelijker gekwetst dan nu.

Ik: Dat zal wel. Maar hoe is het met jou?

Michael: Geweldig. Vandaag hadden we college over de grondbeginselen van de geomorfologie. Het ging erover dat de ijskap de afgelopen twintig jaar één miljoen vierkante kilometer is gekrompen – dat is net zo veel als de oppervlakte van Californië en Texas samen. Als de ijskap met dezelfde snelheid blijft afnemen, dus negen procent in de tien jaar, zou die tegen het eind van deze eeuw wel eens helemaal gesmolten kunnen zijn. Dat heeft natuurlijk verschrikkelijke gevolgen voor het leven op aarde. Complete soorten zullen verdwijnen, en iedereen die aan de kust woont, krijgt natte voeten. Tenzij we natuurlijk iets doen om de uitstoot te verminderen van schadelijke stoffen die de ozonlaag aantasten, en die de oorzaak zijn van de smeltende ijskap.

Ik: Dus eigenlijk maakt het helemaal niets uit wat

	voor cijfer ik voor wiskunde haal, want we gaan er toch allemaal aan.
Michael:	Nou, wij niet. Maar onze kleinkinderen wel.

Ik wist eigenlijk zeker dat Michael het niet had over ónze kleinkinderen, dus de kinderen van de kinderen die wij zouden krijgen als we, jeweetwel, Het deden. Volgens mij bedoelde hij kleinkinderen in het algemeen. Bijvoorbeeld de kleinkinderen van hem en een Maïsprinses met wie hij gaat trouwen wanneer wij uit elkaar zijn gegroeid en we allebei onze eigen weg zijn gegaan.

Ik:	Maar ik dacht dat we over tien jaar toch allemaal dood zouden gaan omdat de nu toegankelijke olievoorraden uitgeput raken.
Michael:	O, maak je daar maar geen zorgen over. Doo Pak en ik gaan een prototype ontwerpen voor een auto die op waterstof loopt. Ik hoop dat dat voor een oplossing kan zorgen. Als de auto-industrie ons tenminste niet om zeep probeert te helpen.
Ik:	O. Oké.

Het is fijn om te weten dat slimme mensen zoals Michael zich bezighouden met olievoorraden die uitgeput raken. Dan kunnen mensen zoals ik zich tenminste werpen op problemen die makkelijker op te lossen zijn. Zoals bijvoorbeeld killeralgen en schoolvoorzitterschap.

Michael:	Dus zaterdag gaat nog door?
Ik:	Bedoel je dat ik dan naar je toekom om kennis te maken met Doo Pak? Ja hoor.
Michael	Ik bedoelde eigenlijk...

En toen probeerde Lilly de telefoon uit mijn hand te wurmen.

Lilly: Is dat mijn broer? Ik wil met hem praten.
Ik: Lilly! Laat los!
Lilly: Echt. Ik moet hem even spreken. Mam heeft haar wachtwoord weer veranderd en ik kan niet bij haar e-mail.
Ik: Je hoort trouwens helemaal niet de e-mail van je moeder te lezen!
Lilly: Maar hoe kom ik er anders achter wat ze tegen andere mensen over mij zegt?

Toen wist ik eindelijk de telefoon uit haar handen te krijgen.

Ik: Eh, Michael. Ik bel je later wel terug. Na school. Oké?
Michael O. Oké. Zet hem op. Het komt allemaal goed.
Ik: Ja. Natuurlijk.

Hij heeft makkelijk praten dat alles goed komt. Alles komt ook goed. Voor hém. Hij hoeft niet meer acht uur per dag op deze verschrikkelijke plek opgesloten te zitten. Hij heeft hartstikke leuke colleges over poolkappen die smelten en dat we allemaal doodgaan, terwijl ik door een gang moet lopen met honderd miljoen posters van Lana Weinberger die me aanstaren en zeggen: Loser! Prinses van wat? Van Loserdorp!

Toen we de kantine uit liepen om lipgloss op te gaan doen voor de volgende les, zag ik Ramon Riveras, de knappe nieuwe leerling. Hij gaf een demonstratie in balbeheersing aan Lana en een aantal leden van het voetbalteam van het AEC. Ze waren een en al aandacht (dat is maar goed ook, want het afgelopen jaar hebben ze niet één wedstrijd gewonnen). Maar in plaats

van een voetbal hield Ramon een sinaasappel met zijn voeten in de lucht. Hij zei er ook iets bij in het Braziliaans, waar ik natuurlijk geen woord van verstond. De leden van het team keken ook een beetje beduusd.

Ik zag Lana knikken, alsof zij het wel snapte. Misschien was dat ook zo. Lana weet bijvoorbeeld ook veel over Braziliaanse schaamhaarstreepjes. Dat weet ik, want ik heb haar naakt onder de douche gezien.

Woensdag 9 september, nog steeds BLP

Mia, zullen we een lijstje maken?

Nee! Lilly, laat me met rust! Ik heb veel te veel problemen om een lijstje te maken.

Wat voor problemen? Je hebt helemaal geen problemen. Je bent een prinses. Het gaat goed met wiskunde. Je hebt een vriendje.

Dat is het hem juist! Ik heb een vriendje, maar hij verwacht blijkbaar van mij...

Wát verwacht hij?

Laat maar. Laten we een lijstje maken.

LILLY EN MIA GEVEN CIJFERS AAN REALITY PROGRAMMA'S

Survivor: *Lilly: Een misselijke poging van de media om kijkers te trekken door in te spelen op de laagste menselijk instincten, en de kijkers een plezier te doen door mensen uit te buiten en te vernederen. Cijfer: 0*

Mia: Ja. En wie wil er nou naar mensen kijken die insecten eten ? Jesses!!! Cijfer: 0

Fear factor: *Lilly: Hetzelfde. Cijfer: 0*

Mia. Nog meer insecten. Getver. Cijfer: 0

American Idol: *Lilly: Dit is wel leuk, als je er tenminste plezier in hebt om naar jonge mensen te kijken die belachelijk worden gemaakt als ze hun talent willen tonen. Cijfer: 5*

Mia: Omdat mijn dromen nu aan gruzelementen liggen, ben ik er niet zo'n fan van om te zien hoe andere mensen de grond in worden gestampt. Cijfer: 2

Newly Weds (Nick en Jessica):

Lilly: Als jij het verantwoorde vrijetijdsbesteding vindt om te kijken naar de treurigstemmende belevenissen van een dom zangeresje dat niet eens het verschil weet tussen kip en tonijn, ga gerust je gang. Ik zal je niet tegenhouden. Cijfer: 0

Mia: Jessica is niet dom, ze is gewoon onervaren! Ze is ook GRAPPIG. En Nick is een lekker ding. Het beste programma ooit! Cijfer: 10

The Bachelorette: *Lilly: Wie is er nou geïnteresseerd in twee domme mensen die verkering krijgen? Het draait er alleen maar op uit dat ze net zulke domme kinderen op de wereld zetten. En door naar dit programma te kijken, moedigen we dat alleen maar aan! Schandalig. Cijfer: 0*

Mia: Wat ben je hard! Ze zijn op zoek naar liefde. Wat is daar mis mee? Cijfer: 5

Trading spaces: *Lilly: Die Hildi zou ik nooit in mijn kamer laten. Cijfer: 10*

Mia: Mee eens. Wat mankeert haar? Maar het zou wel cool zijn om haar op Lana's kamer los te laten. Cijfer: 10

Real World: *Lilly: Perfect. Als je het tenminste waardeert wanneer jonge mensen in warme baden aan het ravotten zijn zonder ouderlijk toezicht en besef van normen en waarden. Helemaal goed. Cijfer: 10*

Mia: Waarom doen ze zo vals tegen elkaar? Toch is het wel goed. Cijfer: 9

Queer Eye for the Straight Guy: *Lilly: Vijf homo's doen make-overs bij hetero's die hun kamer niet kunnen schoonhouden en alleen maar gebleekte spijkerboeken dragen. Sommige mensen die zich inzetten voor gelijke rechten voor de homoseksuele medemens zijn bang dat ze door dit programma weer tien jaar achterop raken. En mag ik vragen waarom die ene vent de hele tijd dat verschrikkelijke haarstukje op heeft? Cijfer: 10*

Mia: Ja. Maar ik ken iemand die best wel een beetje hulp zou kunnen gebruiken van de Fantastic Five. Die vinden het vast niet goed als iemand zijn trui in zijn broek stopt. Cijfer: 10

The Simple Life
met Paris Hilton
en Nicole Richie: *Lilly: Je maakt zeker een geintje. Moet ik soms vermaakt worden door een menselijke bidsprinkhaan en haar dronken vriendin die mensen bot afzeiken terwijl ze zo aardig waren om ze in huis te nemen? Cijfer: 0*

Mia: Eh. Ik geloof dat ik je gelijk moet geven Die meiden kunnen wel een paar flinke prinsessenlessen gebruiken. Misschien moeten de zusjes Hilton en Nicole maar eens een weekje met Grandmère doorbrengen! Ik weet zeker dat die wel wat zou zeggen van hun piercings. Dat realityprogramma zou ik dólgraag willen zien!
Cijfer: 0

Woensdag 9 september, staatsinrichting

Grondbeginselen van het staatsbestel (vervolg)
THEORIE VAN HET SOCIAAL CONTRACT: van Thomas Hobbes, zeventiende-eeuwse Engelse filosoof, die *Leviathan* schreef, is de volgende uitspraak:

Oorspronkelijk leefden de mensen in een 'natuurtoestand.'
Met andere woorden: ANARCHIE

Maar anarchie deugt niet! Als er anarchie heerst kunnen de mensen doen wat ze willen. Als er anarchie heerste zou een zekere cheerleader, haar naam zal ik niet noemen, een short van een van de jongens van het voetbalteam onder haar rok mogen dragen. En dat duidelijk laten zien door onder de les staatsinrichting de hele tijd atletisch haar benen over elkaar te slaan. Wat ze bijvoorbeeld nú aan het doen is en waarmee ze de schoolregels hartstikke overtreedt. En een zekere andere persoon, die ook niet met name zal worden genoemd, zou haar eigenlijk wel willen verraden, maar besluit het uiteindelijk niet te doen, want klikken doe je niet, tenzij iemands leven op het spel staat.

Hobbes beweerde dat het verdrag tussen volk en staat onaantastbaar was, waardoor de staat tot absoluut heerser werd.

Gelukkig heeft John Locke deze theorie aangepast middels de aantekening dat er over het verdrag opnieuw onderhandeld kon worden.

Hup John Locke!
Hup John Locke!
Goed zo
Hup John Locke!

Woensdag 9 september, algemene natuurweten-schappen

Kenny boog zich net naar me toe om me te vertellen dat hij een nieuw vriendinnetje heeft. Ze heet Heather en hij heeft haar deze zomer op wetenschapskamp ontmoet. Zo te horen is Heather in alles beter dan ik. Ze haalt alleen maar tienen, doet aan turnen, verwerkt geen slapstickachtige humor of verwijzingen naar de populaire cultuur in haar opstellen, is geen prinses, en ga zo maar door. Dus voor het geval ik er anders over mocht denken, wil hij wel even duidelijk maken dat hij helemaal klaar met me is. Ook al knipper ik nog zo hard met mijn grote blauwe ogen, hij gaat dit semester níét mijn huiswerk algemene natuurwetenschappen voor me maken.

Maakt niet uit, Kenny, zorg eerst maar dat je de feiten op een rijtje hebt: mijn ogen zijn grijs, niet blauw. Ten tweede heb ik je vorig jaar helemaal niet gevraagd om mijn huiswerk te maken. Je deed het gewoon uit jezelf. Ik moet toegeven dat het niet zo aardig was dat ik je dat liet doen, omdat ik wel wist dat ik niet zo dol op jou was als jij op mij. Maar ik kan je verzekeren dat het niet meer zal gebeuren. Want ik ben namelijk van plan om héél goed op te letten tijdens de les en mijn eigen boontjes te doppen. Ik heb jouw hulp niet eens nodig.

Ik hoop echt dat Heather en jij gelukkig worden samen. Jullie krijgen vast heel slimme kinderen. Als jullie Het tenminste gaan doen, bedoel ik. En vergeten voorbehoedmiddelen te gebruiken. Hoewel dat niet erg waarschijnlijk is bij twee van die keien op natuurwetenschappelijk gebied.

Ik snap niks van Kenny.

Nee, ik kan beter zeggen: ik snap niks van jóngens. Echt niet. Misschien moet ik daarover schrijven in mijn herziene

opstel voor mevrouw Martinez. Over jongens, en hoe raar ze zijn.

Dit zijn bijvoorbeeld op dit moment mijn vijf favoriete films:

Dirty Dancing
Flashdance
Bring it On
De originele *Star Wars* en
Honey

En die films hebben allemaal hetzelfde thema: een meisje moet haar net ontdekte talenten (dansen) aanwenden om zichzelf/haar relatie/team te redden. Nou ja, het is niet helemaal het plot van *Star Wars*. Of eigenlijk wel, maar dan moet je het woord 'meisje' door 'jongen' vervangen, en dansen door 'the Force'.

Dus je begrijpt waarom ik dol ben op die films.

Maar Michaels filmtopvijf – waaronder natuurlijk de originele *Star Wars* – is totaal verschillend van de mijne. Er is helemaal geen onderliggend thema in te ontdekken. Qua thema gaan ze alle kanten op! En van de meeste heb ik geen idee waarom hij ze goed vindt. Er wordt niet eens in gedanst.

Hier dan een kijkje in de Wondere Wereld van Jongens en de Films die Ze Goed Vinden:

TOP VIJF VAN FILMS DIE MICHAEL GOED VINDT (WAARVAN IK ER GEENEEN HEB GEZIEN OF OOIT ZAL ZIEN):

The Godfather
Scarface
Texas Chainsaw Massacre

Alien, *Aliens*, *Alien Resurrection*, enzovoort.
The Exorcist

TOP VIJF VAN FILMS DIE MICHAEL GOED VINDT (DIE IK HEB GEZIEN, INCLUSIEF DE ORIGINELE *STAR WARS*, NATUURLIJK):

Office Space
The Substitute
The Fifth Element
Starship Troopers
Super Troopers

Ik wil er even op wijzen dat in de bovenstaande films niet één dansnummer zit. Niet eentje. Eigenlijk hebben die films dus geen onderliggend gemeenschappelijk thema. Alleen dat alle jongens in die films supermooie vriendinnetjes hebben.

In wezen hebben mannen en vrouwen volkomen verschillende verwachtingen op het gebied van films. Als je het goed bekijkt, is het eigenlijk een wonder dat ze ooit zover komen om Het te doen.

Waarschijnlijk is het toch geen onderwerp waar mevrouw Martinez over wil lezen. En hoewel het volgens mij echt leerzaam zou zijn, betwijfel ik of zij dat ook vindt.

Ik denk niet dat ze ooit naar de film gaat, want dat hoort niet bij de hogere cultuur. Volgens mij gaat ze alleen maar naar van die artistieke films, zoals die in de Angelika draaien. Ik durf te wedden dat ze niet eens een tv heeft.

Jemig. Geen wonder dat ze is zoals ze is.

HUISWERK

Gym: n.v.t.

Wiskunde: oefeningen, pagina 20-22

Engels: weet ik niet, ik was te geflipt om het op te schrijven

Frans: *écrivez une histoire*

Plus: uitzoeken of Perin jongen of meisje is!!

BLP: n.v.t.

Staatsinrichting: Wat zijn de grondprincipes van bestuur in relatie tot de theorie van het sociaal contract

Algemene natuurwetenschappen: aan Kenny vragen.

Woensdag 9 september, in de limousine vanaf het Plaza onderweg naar huis

Toen ik vandaag naar Grandmère ging voor mijn prinsessenles, kondigde ze aan dat dit een praktijkles zou worden.

Ik zei nog dat ik vandaag echt geen tijd had voor een prinsessenles, dat mijn cijfer voor Engels op het spel stond en ik meteen naar huis moest om een nieuw opstel te schrijven.

Maar Grandmère was totaal niet onder de indruk. Zelfs niet toen ik zei dat mijn toekomstige carrière als schrijfster ervan afhing. Ze zei dat iemand van koninklijken bloede helemaal geen boeken hoort te schrijven. Dat iedereen boeken willen lezen óver koningshuizen, en geen boeken die leden van een koninklijk huis zelf schrijven.

Grandmère snapt er soms niets van.

Ik wist bijna zeker we naar Paolo zouden gaan – ik begin het een beetje door te krijgen – maar toen nam Grandmère me mee naar beneden, naar een van de conferentieruimtes van het Plaza. In deze enorme zaal waren ongeveer tweehonderd stoelen neergezet, met daarvoor een lessenaar met een microfoon en een kan water erop.

Alleen de eerste rij was bezet, en daar zaten het dienstmeisje van Grandmère, haar chauffeur, plus diverse personeelsleden van het Plaza in hun groen met gouden uniform. Ze voelden zich duidelijk niet op hun gemak, en zeker het dienstmeisje van Grandmère niet, met die trillende Rommel op schoot.

Eerst dacht ik dat ik erin was gestonken en dat het een persconferentie was over de slakken en zo. Maar waar waren de verslaggevers dan?

Grandmère zei dat het geen persconferentie was. Het was om te oefenen.

Voor het debat.

Voor het schoolvoorzitterschap.

'Eh, Grandmère,' zei ik. 'Er komt helemaal geen schoolvoorzittersdebat. Iedereen gaat gewoon stemmen. Maandag.'

Maar Grandmère geloofde me niet. Terwijl ze een dikke wolk sigarettenrook uitblies, hoewel je in het Plaza alleen maar op de kamer mag roken, zei ze: 'Je vriendinnetje Lilly heeft me verteld dat er een debat komt.'

'Heeft u met Lilly gesproken?' Ik kon mijn oren niet geloven. Lilly en Grandmère hebben een bloedhekel aan elkaar. En niet zonder reden, als je denkt aan dat gedoe met Jangbu Panasa.

En nu gaat Grandmère me vertellen dat zij en mijn beste vriendin bóndgenoten zijn?

'Wanneer heeft Lilly u dit verteld?' vroeg ik, want ik geloofde er geen woord van.

'Onlangs,' zei Grandmère. 'Ga nou maar achter die lessenaar staan en kijk hoe dat voelt.'

'Ik weet heus wel hoe het voelt om achter een lessenaar te staan, Grandmère,' zei ik. 'U herinnert zich vast nog dat ik wel eens eerder achter een lessenaar heb gestaan. Toen ik het parlement van Genovia heb toegesproken tijdens de parkeermetercrisis.'

'Ja,' reageerde Grandmère. 'Maar toen bestond je publiek alleen maar uit oude mannen. Ik wil dat je nu doet alsof je je leeftijdgenoten toespreekt. Doe nou maar of ze voor je zitten in die idiote zakkerige broeken en met honkbalpetten achterstevoren op hun hoofd.'

'Op school dragen we het schooluniform, Grandmère,' bracht ik haar in herinnering.

'Kan wel zijn, maar je weet wat ik bedoel. Stel je nou voor dat daar allemaal leerlingen zitten die ervan dromen om hun eigen televisieprogramma te hebben, zoals die verschrikkelijke Ashton Kutcher. En vertel me dan wat je zou antwoorden op de volgende vraag: wat voor verbeteringen zou je willen op het Albert Einstein College, en waarom?'

Echt, hoor, soms snap ik haar niet. Het lijkt wel alsof ze haar als baby hebben laten vallen. Maar dan wel op het parket en niet op een futon, zoals mij pasgeleden met Rocky is overkomen. Dat was alleen niet mijn schuld, want het kwam doordat Michael onverwacht kwam binnenlopen met een nieuwe spijkerbroek aan.

'Grandmère,' zei ik. 'Wat heeft dit nou voor zin? Er komt geen debat.'

'Geef antwoord op die vraag.'

Jeminee. Ze is gewoon onmogelijk soms.

Oké, altijd dus.

Maar om haar een plezier te doen ging ik achter die stomme lessenaar staan en zei in de microfoon: 'Ik zou op het Albert Einstein College graag de volgende verbeteringen willen zien: onder andere bij de lunch meer voorafjes zonder vlees voor de veganisten en vegetariërs onder ons, en, eh, dat elke avond het huiswerk op de website van de school wordt gezet, zodat de leerlingen die vergeten zijn het op te schrijven precies weten wat hun de volgende dag te wachten staat.'

'Hang niet zo over die lessenaar heen, Amelia,' merkte Grandmère kritisch op terwijl ze de rook van haar sigaret in een grote rododendron in een pot blies. Grandmère is echt een geluksvogel. Over tien jaar, wanneer alle olie op is en de poolkap is gesmolten, is ze waarschijnlijk allang gestorven aan longkanker vanwege al die sigaretten die ze rookt. 'Ga rechtop staan. Schouders naar achteren. Zo is het goed. Ga nu maar verder.'

Ik was al helemaal vergeten waar ik het over had.

'En hoe zit het met de leraren?' riep de chauffeur van Grandmère, die probeerde net zo te klinken als Ashton Kutcher met zijn afzakkende spijkerbroek. 'Wat ga je daar nou aan doen?'

'O ja, leraren,' zei ik. 'Het is toch hun taak om ons te helpen onze dromen te verwezenlijken? Maar het is me opgevallen dat sommige leraren menen dat het hun taak is ons geestelijk in de grond te boren... en... onze creatieve impulsen de nek om te draaien! Alleen maar omdat die soms, eh, eerder onderhoudend zijn dan leerzaam. Is dat nou echt het soort mensen dat onze jonge geest moet vormen?'

'Nee!' riep een van de kamermeisjes uit.

'Helemaal vet!' schreeuwde Grandmères chauffeur.

'O,' zei ik, met steeds meer zelfvertrouwen vanwege hun positieve reacties. 'En eh, die videocamera's buiten. Ik begrijp heus wel dat die nuttig zijn als veiligheidsmaatregel. Maar worden die ook gebruikt door...'

'Amelia,' riep Grandmère. 'Ellebogen van de lessenaar!'

Ik haalde mijn ellebogen van de lessenaar.

'... de schoolleiding om ons te bespioneren?' Ik raakte echt in vorm wat dat debat betrof. 'Wat gebeurt er met de tapes van die videocamera's als ze vol zijn? Worden die weer overgespoeld, of worden die ergens opgeslagen, zodat ze later tegen ons kunnen worden gebruikt? Bijvoorbeeld als een van ons wordt benoemd in het Hooggerechtshof. Stel dat er dan in de media een bandje opduikt waarop Joe de Leeuw door ons wordt volgespoten met Silly String!'

'Voeten op de vloer, Amelia!' snerpte Grandmère, omdat ik mijn voet had gezet op het plankje van de lessenaar waar je je tasje of iets dergelijks kwijt kunt.

'En hoe zit het met meisjes die het sportbroekje van hun vriendje onder hun rok aanhebben?' ging ik verder. Ik moet toegeven dat ik er echt lol in kreeg. De kamermeisjes van het

Plaza hingen inmiddels aan mijn lippen. Eentje begon zelfs te klappen toen ik het had over de video's die misschien tegen ons konden worden gebruikt wanneer we in het Hooggerechtshof werden benoemd. 'Hoe seksistisch ik het ook mag vinden, is het wel de taak van de schoolleiding om zich te bemoeien met wat er onder de rokken van de vrouwelijke leerlingen zit? Ik zeg nee! Nee! Handen af van mijn ondergoed!'

Ha! Dat laatste bezorgde me een staande ovatie van de kamermeisjes! Ze waren opgestaan en juichten me toe, alsof ik... Ik weet niet, alsof ik een soort J. Lo was.

Ik wist echt niet dat ik zo'n briljant spreker was. Echt niet! Dat gedoe met die parkeermeters was niets vergeleken met dit.

Maar Grandmère was niet zo onder de indruk als de andere aanwezigen.

'Amelia,' zei Grandmère, terwijl ze een wolk grijze rook uitblies. 'Prinsessen slaan niet met hun vuist op de lessenaar wanneer ze de aandacht op iets willen vestigen.'

'Sorry, Grandmère,' zei ik.

Maar het speet me helemaal niet. Om de waarheid te zeggen was ik helemaal in de wolken. Ik wist niet hoe leuk het was om allemaal kamermeisjes toe te spreken. Toen ik het parlement van Genovia toesprak over de parkeermeterkwestie, schonk bijna niemand aandacht aan me.

Maar nu, in dit hotel, aten deze meisjes uit mijn hand. Echt waar.

Toch zou het denk ik totaal anders zijn wanneer ik het tegen leeftijdgenoten zou hebben. Om tegenover Lana en Trisha en al die anderen te staan, is echt wel andere koek.

Dan zou ik helemaal niet goed worden.

Maar daar maak ik me geen zorgen over, want dat zal denk ik toch nooit gebeuren. Ik bedoel, dat ik met Lana in debat ga. Omdat niemand iets over een debat heeft gezegd.

En móćht het tot een debat komen, dan hoef ik daar toch niet aan mee te doen?

Maar Lily heeft gezegd dat het moet. Want ze heeft een plan.

Wat dat ook mag betekenen.

Woensdag 9 september, thuis

Het was weer een complete chaos toen ik ons huis in Thompson Street binnen kwam. Omdat mam en meneer G. dit weekend naar Indiana zouden gaan, had mam haar zaterdagse vrouwenpokeravondje verschoven naar vanavond. Dus zaten alle feministische kunstenaars van mams pokerclubje rond de keukentafel noedels met champignons te eten toen ik binnenkwam.

Ze waren ook behoorlijk luidruchtig. Ze maakten zo veel lawaai dat Dikke Louie niet kwam toen ik hem riep. Ik rammelde nog een beetje met zijn bakje magere kattenbrokjes, maar niets hoor. Heel even dacht ik zelfs dat Dikke Louie was weggelopen. Dat hij hem was gesmeerd vanwege al die lawaaierige feministes. Want hij vindt het toch al niet zo fijn dat hier een baby woont. We hebben hem al een paar keer uit Rocky's wiegje moeten verjagen, omdat hij denkt dat het een mandje is dat we speciaal voor hem hebben neergezet. Het heeft namelijk wel precies de maat van Dikke Louie.

En ik moet helaas toegeven dat ik heel veel tijd aan Rocky besteed. Tijd die ik vroeger aan Dikke Louie besteedde om hem zijn poezenmassage te geven.

Maar ik doe toch echt mijn best een goede moeder zijn; een babylikker, zowel voor mijn broertje als voor mijn kat.

Uiteindelijk zag ik hem onder mijn bed. Nou ja, alleen zijn kop zat eronder, want hij is zo dik dat de rest van zijn lijf daar niet onder past en alleen zijn poezenkontje te zien was, dat recht omhoog stak.

Ik kon het hem niet kwalijk nemen dat hij zich had verstopt. Die vriendinnen van mijn moeder zijn best eng.

Meneer G. vindt blijkbaar hetzelfde. Hij had zich ook verstopt, merkte ik toen ik de slaapkamer van hem en mijn moe-

der binnen liep, waar hij met Rocky naar een honkbalwedstrijd probeerde te kijken. Toen ik binnenkwam om Rocky een kusje te geven, keek hij verschrikt op.

'Zijn ze nog niet weg?' vroeg hij met een verwilderde blik in zijn ogen.

'Eh,' zei ik. 'Ze zijn nog niet eens begonnen.'

'Wat een gelazer.' Meneer G. keek naar zijn zoontje, dat voor de verandering nou eens niet aan het huilen was. Rocky vindt het meestal heerlijk wanneer de tv aan staat. 'Ik bedoel, jammer.'

Ik voelde met meneer G. mee. Ik bedoel maar, het valt niet mee om met mijn moeder getrouwd te zijn. Afgezien van dat malle schilderen is ze gewoon niet in staat om rekeningen op tijd te betalen. Ze kan niet eens de rekeningen vinden wanneer ze zich herinnert dat ze die moet betalen. Meneer G. heeft alles nu met internet-bankieren overgemaakt, maar dat maakt niks uit. Dat weet ik omdat alle afrekeningen voor de verkoop van haar schilderijen op de gekste plekken terechtkomen, zoals onder in de doos met haar gasmaskers.

Als je bedenkt dat ik slecht in breuken ben en zij geen enkele verantwoordelijkheid aankan – met uitzondering van politieke protestdemonstraties en borstvoeding – is het een wonder dat meneer G. nog niet van ons is gescheiden.

'Wil je iets hebben?' vroeg ik meneer G. 'Spareribs, garnalen in knoflooksaus?'

'Nee, Mia,' zei meneer G. met een uitdrukking op zijn gezicht of hij het echt te kwaad had, wat ik maar al te goed begreep. 'Bedankt. We hoeven niets.'

Ik liet deze beide mannen maar aan hun lot over en ging naar de keuken om wat te eten te halen. Daarna zou ik naar mijn kamer gaan om huiswerk te maken. Gelukkig schonken de vriendinnen van mijn moeder geen aandacht aan me. Ze had-

den het veel te druk met klagen over het feit dat muzikanten als Eminem er verantwoordelijk voor zijn dat een generatie jonge mannen in vrouwenhaters verandert.

Dit soort geklets kon ik in mijn eigen huis toch echt niet over mijn kant laten gaan? Misschien kwam het wel doordat ik zo'n krachtige toespraak had gehouden in de bijna lege conferentieruimte in het Plaza, maar ik zette mijn bordje met gestoomde groentetjes neer en zei tegen de vriendinnen van mijn moeder dat hun bezwaren tegen Eminem superficieel waren. (Ik weet niet eens wat dat woord betekent, maar Michael en Lilly gebruiken het vaak.) Ik zei dat als ze de tijd zouden nemen om even te luisteren naar 'Cleaning Out My Closet', toevallig een van Rocky's lievelingsnummers, ze zouden weten dat Eminem alleen maar de pest heeft aan vrouwen zoals zijn moeder en de smerige hoeren die zijn leven verkankerden.

Deze opmerking, die ikzelf erg op zijn plaats vond, zorgde ervoor dat er een diepe stilte viel onder de feministische kunstenaressen. Op dat moment zei mijn moeder: 'Wordt er gebeld? Dat is vast Vern van beneden. Hij kan er niet tegen als we hier bij elkaar zitten en hij niet is uitgenodigd. Ik ben zo terug.'

Ze liep als een speer naar de deur, hoewel ik helemaal geen deurbel had gehoord.

Toen zei een van de feministes: 'Mia, komt het door die prinsessenlessen van je grootmoeder dat je vindt dat je Eminem moet verdedigen?'

En alle feministes schoten in de lach.

Maar toen schoot me te binnen dat ik best wat advies van het feministisch front kon gebruiken. Dus ik zei: 'Nou, jongens, ik bedoel meiden, weten jullie of het klopt dat alle studenten Het met hun vriendin willen doen?'

'Nou eh, niet alleen studenten,' zei een van de vrouwen, terwijl de anderen inmiddels in een deuk lagen.

Dus het is waar. Dat had ik kunnen weten. Ik had nog een beetje gehoopt dat Lana me alleen maar wilde stangen. Maar het ziet ernaar uit dat ze het misschien wel bij het rechte eind heeft.

'Maak je je zorgen, Mia?' reageerde Kate, een performance artist die graag een statement maakt tegenover de cosmetica-industrie door ingesmeerd met kippenvet op het podium te verschijnen.

'Ze maakt zich altijd zorgen,' zei Gretchen, van beroep lasser, die zich heeft gespecialiseerd in metalen replica's van lichaamsdelen. Met name die van de mannelijke soort. 'Dat is Mia ten voeten uit, dat weet je toch?'

De feministes kwamen niet meer bij.

Dat vond ik niet leuk. Het lijkt wel alsof mijn moeder het achter mijn rug over mij heeft gehad. Ik bedoel, ik heb het wel achter haar rug over haar. Maar het is toch iets anders wanneer je moeder over jou kletst.

Het was wel duidelijk dat Lilly niet de enige is die vindt dat ik een babylikker ben.

'Je maakt je echt veel te druk om alles, Mia.' Becca, de neon-kunstenares, gebaarde veelbetekenend met haar glas margarita naar me. 'Je moet niet zo veel denken. Ik kan me niet herinneren dat ik zo veel nadacht over dingen toen ik zo oud was als jij.'

'Dat komt doordat je toen al aan de lithium was,' merkte Kate op.

Becca deed alsof ze dat niet had gehoord.

'Komt het door de slakken?' wilde Becca weten.

Ik knipperde met mijn ogen. 'De wát?'

'De slakken,' zei ze. 'Je weet wel, die je in de baai hebt gestort. Vind je het erg dat iedereen zich daar zo over opwindt?'

'Eh,' reageerde ik, en ik vroeg me af of ze dit net als Tina op het nieuws had gezien. 'Ik denk het wel.'

'Dat is heel begrijpelijk,' zei Becca. 'Ik zou me ook zorgen maken. Waarom ga je niet aan yoga doen?' stelde ze voor. 'Dat helpt mij altijd om te ontspannen.'

'Of ga meer tv-kijken,' begon Dee, die totempalen maakt en daar dan omheen danst met stukjes lever om haar arm gebonden.

Ik kon het haast niet geloven. Dus deze intelligente vrouwen raadden me aan meer tv te kijken? Het is wel duidelijk dat dit geen vriendinnen van Karen Martinez zijn.

'Laat Mia nou maar.' Windstorm, een van mijn moeders oudste vriendinnen, van beroep vroedvrouw én predikant én daarbij ook nog choreograaf, stond op om nog een beetje ijs in de blender te doen. 'Ze heeft het volste recht om te veel te denken en zich druk te maken. Het is al lastig genoeg om vijftien te zijn, laat staan een prinses van vijftien.'

Dat was nou nooit bij me opgekomen. Denk ik nou echt te veel? Denken andere mensen dan niet net zo veel als ik? Hoewel... Volgens mevrouw Martinez denk ik juist weer te weinig.

'Ik denk dat het een van de besteljongens was die een menukaartje onder de deur door heeft geschoven,' zei mijn moeder, die weer aan tafel kwam zitten. 'Heb ik iets gemist?'

'Nee, hoor,' zei ik, en ik pakte mijn bord en ging snel naar mijn kamer. 'Veel plezier, jongens! Ik bedoel: dames!'

Ik vraag me af of Windstorm gelijk heeft dat ik te veel nadenk. Misschien is dát wel mijn probleem. Ik kan mijn hersens niet uitschakelen. Misschien kunnen andere mensen dat, maar ik niet. Ik heb het weliswaar nooit geprobeerd, want wie wil er nou een leeg hoofd hebben? Nou ja, de zusjes Hilton misschien. Want het zal vast wel makkelijker feesten wanneer je je

geen zorgen maakt over killeralgen of olie die opraakt.

Maar er kan iets in zitten. Ik slaap slecht, omdat mijn hersens op volle toeren draaien als ik eraan denk wat ik moet doen als er 's nachts aliens komen die alles overnemen, of zoiets. Ik zou het héérlijk vinden om mijn hersens uit te schakelen, zoals andere mensen dat blijkbaar kunnen. Als Windstorm gelijk heeft, tenminste.

O, Michael stuurt me net een berichtje!

SKINNERBX: Nou, zie ik je nog zaterdag?

Net op het moment dat Michael dit vraagt, krijg ik nog een berichtje.

WOMYNRULE: BL, wat doe jij zaterdag?

Echt hoor, waarom heb ik dat? WAAROM?

DKLOUIE: Ik kan nu niet met je praten. Ik zit net met je broer te mailen.

WOMYNRULE: Zeg maar tegen hem dat mam zijn kamer heeft veranderd in een tempeltje voor de leider van de Moonsekte.

DKLOUIE: Lilly! Ga weg!

WOMYNRULE: Hou alleen zaterdag overdag vrij, oké? Dat is belangrijk. Het heeft met de campagne te maken.

DKLOUIE: Ik had zaterdag al iets met je broer.

WomynRule: Gaan jullie Het dan doen of zo?

DkLouie: NEE WE GAAN HET DAN NIET DOEN. WIE ZEGT DAT?

WomynRule: Niemand! Jemig. Je hoeft niet zo uit je prinsessenvel te springen! Waarom zou je hier zo kwaad om worden, tenzij... Wacht even...JULLIE GAAN HET DOEN! EN JE HEBT ME NIKS GEZEGD!!!

DkLouie: NEE, VOOR DE LAATSTE KEER. WE GAAN HET NIET DOEN!.

SkinnerBx: Wat doen? Waar heb je het over?

O NEE!

DkLouie: Dat was niet voor jou, dat was voor Lilly!

SkinnerBx: Hè, zit je nu ook met Lilly te chatten?

WomynRule: Het is echt ongelooflijk dat je Het met mijn broer doet. Dat is walgelijk. Weet je dat hij haar op zijn tenen heeft? Net een hobbit.

DkLouie: Lilly, HOU JE KOP!!

SkinnerBx: Doet Lilly vervelend tegen je? Zeg maar tegen haar dat ze op moet houden, want anders vertel ik mam dat ze een keer een 'zwaartekrachtexperiment' heeft gedaan met de Hummel-beeldjes van oma.

DkLouie: HOUDEN JULLIE ALLEBEI OP! IK WORD GEK VAN JULLIE!

DkLouie: Einde

Echt hoor, ik ben dolblij dat ik een babylikker ben, als dat betekent dat Rocky en ik niet zo worden als die twee.

Donderdag 10 september, groepslokaal

O.

Wat.
Erg.
Meer zeg ik niet.

Donderdag 10 september, gym

Ze hangen zelfs in de gymzaal. Ik weet niet hoe ze het voor elkaar heeft gekregen, maar ze hangen zelfs aan de touwen in de gymzaal!

Echt waar.

Ze hangen ook in de douches. Geplastificeerd, zodat ze niet nat worden.

Ik heb bij maatschappijleer geleerd dat je niet dood kunt gaan van schaamte, maar misschien ben ik wel een uitzondering op de regel.

Donderdag 10 september, wiskunde

Ze hangen overal!!!

Enorme fullcolour posters van mij met tiara en scepter. Die foto's zijn genomen toen ik afgelopen december officieel werd voorgesteld aan de bevolking van Genovia.

En onder mijn foto staat:

STEM OP MIA.

En daar weer onder staat:

PIO.

PIO. Wat betekent dat nou?

Iedereen heeft het erover. Iederéén! Ik wist van niets, want ik zat hier gewoon mijn huiswerk door te nemen en toen kwam Trisha binnen, en zei: 'Leuk geprobeerd PIO. Maar dat helpt toch niets, hoor. Je mag dan wel een prinses zijn, maar Lana is het populairste meisje van de school. Ze elimineert je maandag.'

'Dat woord heb je zeker moeten opzoeken,' zei ik tegen Trisha, vanwege het woord 'elimineren'.

Maar dat wilde ik eigenlijk helemaal niet zeggen. Wat ik wilde zeggen was: 'Ik kan er niks aan doen! Dat heb ík niet gedaan! Ik weet niet eens wat PIO betekent!'

Maar dat ging niet. Omdat iedereen naar ons keek. Ook meneer Harding. Hij gaf Trisha een minnetje voor haar huiswerk omdat ze niet op haar plaats zat toen de bel ging.

'Dat kunt u niet doen,' merkte Trisha onverstandig genoeg op.

'Eh,' zei meneer Harding. 'Het spijt me, juffrouw Hayes, maar dat kan ik heel goed doen.'

'Maar niet lang meer,' zei Trisha. 'Wanneer mijn vriendin Lana schoolvoorzitter is, zal ze korte metten maken met strafmaatregelen wegens te laat komen.'

'En wat heb jij daarop te zeggen, juffrouw Thermopolis?' vroeg meneer Hardy. 'Ben jij ook van plan om korte metten te maken met strafmaatregelen wegens te laat komen?'

'Eh,' zei ik. 'Nee.'

'O nee?' Meneer Harding keek heel geïnteresseerd. Hoewel hij volgens mij alleen maar geïnteresseerd keek omdat hij het allemaal nogal grappig vond. Typisch iets voor leraren. 'En waarom dan niet?'

'Eh,' zei ik, en ik voelde dat mijn oren rood werden. Dat kwam doordat ik wist dat de hele klas ons aan zat te staren. 'Omdat ik me wil concentreren op dingen die er echt toe doen. Bijvoorbeeld dat er in de kantine zo weinig keus is in vegetarische snacks. En dat de camera's die ze bij Joe hebben geïnstalleerd een inbreuk vormen op ons recht op privacy. En dat sommige leraren geen objectieve cijfers geven.'

Tot mijn enorme verbazing begonnen achter in de klas een paar leerlingen te klappen. Net zoals in een film mensen heel langzaam beginnen te klappen, en dat dan iedereen gaat meedoen en het geklap steeds sneller gaat.

Maar meneer Harding liet het niet zover komen dat er sneller werd geklapt, want hij zei: 'Zo is het wel genoeg. Laten we beginnen op bladzij 23.'

Jeminee. Dat voorzittersgedoe loopt helemaal uit de hand.

Syllogisme = redenering van formulering a → b (eerste premisse) b → c (tweede premisse)

Daaruit volgt: a → c (conclusie)

Maar waarom moest ze nu uitgerekend die foto nemen waar ik met mijn scepter op sta? Ik zie er niet uit op die foto.

Aantekening voor mezelf: 'elimineren' opzoeken.

Donderdag 10 september, Engels

LILLY! HOE KOM JE AAN DIE POSTERS?

Wat denk je? En schreeuw niet zo!

Ik schreeuw niet. Ik vraag het je heel rustig... Heb je die posters van mijn grootmoeder gekregen?

Ja, natuurlijk. Dacht je soms dat ik ze zelf had betaald? Weet je wel hoeveel een fullcolour poster van dat formaat kost? Mijn hele jaarbudget voor Lilly weet het beter zou alleen al aan de zetkosten zijn opgegaan!

Maar ik dacht dat je een bloedhekel had aan Grandmère. Waarom doe je dit dan? Waarom betrek je mijn grootmoeder hierbij?

Misschien heb je het nog niet door, Mia, maar deze verkiezing is belangrijk voor mij. Ik wil écht dat we winnen. We móéten winnen. Dat is de enige manier waarop we deze school ervoor kunnen behoeden een totaal fascistische staat te worden, onder het tirannieke bewind van Gruwelijke Gupta.

Maar Lilly, ik wíl helemaal geen schoolvoorzitter worden.

Maak je geen zorgen. Dat gebeurt niet.

Waar slaat dit dan allemaal op! Lilly, ik weet wel dat iedereen ervan uit gaat dat Lana gaat winnen, omdat ze altijd alles wint. Maar het is toch wel heel eigenaardig. Ik heb vandaag bij wiskunde gezegd dat die buitencamera's een inbreuk vormen op ons recht op privacy en toen begon iemand voor me te klappen!

Het lukt! Ik wíst het wel!

Wat lukt er?

Laat maar. Doe jij nou maar gewoon. Heel goed. En zo ontzettend NATUREL. *Ik zou nooit zo naturel kunnen zijn.*

Maar ik doe helemaal niks!!

Dat is juist zo geweldig. Nou even opletten. Als je echt een goede schrijfster wilt worden, moet je dit soort dingen leren.

Lilly, komt er een debat? Want Grandmère zei dat er een debat zal plaatsvinden.

Sst. Opletten. Zeg, wat is dat eigenlijk met mijn broer? Zijn jullie Het echt aan het doen?

Probeer niet van onderwerp te veranderen. Komt er een debat?

LILLY!

LILLY! GEEF ANTWOORD!

Ik denk niet dat je antwoord krijgt van Lilly. Kan ik iets voor je doen?

O, hoi, Tina. Nee, alleen... Zeg, wil jij je lijfwacht zover zien te krijgen dat hij me neerschiet? Want dat zou ik buitengewoon op prijs stellen.

Nou, Wahim mag helemaal niemand neerschieten, tenzij ze me proberen te ontvoeren. Dat weet je toch?

Weet ik. Maar toch wil ik dood.

Ach jeetje, komt het door die verkiezing?

Dat, en door Michael, en door nog veel meer.

Hebben Michael en jij nog met elkaar gesproken, zoals ik je had gezegd?

Nee. Wanneer hadden we dat dan moeten doen? Ik zie hem nooit meer, want hij heeft de hele tijd college over allerlei nieuwe ontwikkelingen waaruit blijkt dat we allemaal doodgaan. Trouwens, over Het doen, of eigenlijk over Het niet doen, kun je het niet hebben door de telefoon of via mail. Dat is een onderwerp waarbij je tegenover elkaar moet zitten.

Dat is zo. Maar wanneer ga je het er dan over hebben?

Ik denk zaterdag. Want dat is de eerstvolgende keer dat we elkaar zien.

Mooi zo! Zeg, vond je mevrouw M. ook niet helemaal geweldig in die broekrok? Nooit geweten dat broekrokken geweldig konden zijn.

Zeg, iemand kan wel een broekrok aan hebben en toch niet... eh, deugen.

Waar heb je het over? Mevrouw Martinez deugt hartstikke. Ze houdt toch van Jane Austen?

Eh, ja. Maar misschien niet op dezelfde manier als wij.

Je bedoelt dat ze Colin Firth geen stuk vond toen hij in die vijver dook? Maar waarom zou je anders van Jane Austen houden?

Laat maar. Ik heb niks gezegd.

Denk je dat mevrouw M. weet dat Emma Thompson een baby heeft gekregen van die vent die Willoughby speelde? Hij was dan wel de slechterik in *Sense and Sensibility*, maar ik weet zeker dat hij heel aardig is. Trouwens, Emma móést wel naar iemand anders op zoek omdat die Kenneth Branagh haar had verlaten voor Helena Bonham-Carter.

Af en toe zou ik wel willen dat ik in Tina's hoofd kon zitten in plaats van in het mijne. Ik zweer het. Het moet daar erg rustig zijn.

Donderdag 10 september, meisjestoilet van het Albert Einstein College

Hoe bestaat het dat ik toch altijd in het meisjestoilet terechtkom om in mijn dagboek te schrijven? Het wordt een soort ritueel.

In elk geval begon het allemaal heel onschuldig. We hadden het over de laatste aflevering van *The OC* en toen zei Tina plotseling: 'Hé, heb je het al aan Lilly verteld?'

En toen vroeg Lilly: 'Wat verteld?'

Ik dacht echt dat Tina het had over Het doen met Michael, en ik keek haar kwaad aan. En toen zei ze: 'Dat je ouders dit weekend naar Indiana gaan, bedoel ik.' Dat heb ik zeker in een moment van zwakheid tegen haar gezegd, maar ik kan het me niet meer herinneren.

Lilly keek me helemaal opgewonden aan. 'Echt waar? Geweldig! Dan kunnen we nog een feest geven!'

Hallo. Je zou toch denken dat zeker Lilly niet op een feest bij mij thuis zou willen komen. Of in elk geval eraan zou denken dat haar ex, die ze voor eeuwig is kwijtgeraakt, op het vorige feestje nog aanwezig was.

Maar dat leek helemaal niet tot haar door te dringen, of het kon haar niets schelen.

'Nou, hoe laat kunnen we komen?' wilde ze weten.

'Ik ga echt geen feestje geven omdat mijn moeder en meneer G. toevallig weg zijn,' riep ik in paniek.

'Goh, ja,' zei Lilly nadenkend. 'Helemaal vergeten dat je erfprinses van de troon van Genovia bent. Ze zullen je echt niet alleen achterlaten. Maar dat geeft niet. Misschien kunnen we Lars en Wahim zover krijgen dat ze samen ergens naartoe gaan...'

'Nee!' zei ik. 'Daar gaat het niet om. Ik geef geen feestje,

omdat het laatste feestje dat ik gaf op een totale ramp uitliep.'

'Jawel,' zei Lilly, 'Maar dit keer is meneer Giannini er niet bij...'

'Geen feestjes,' zei ik op mijn meest prinsessige manier.

Lilly snoof even en zei: 'Omdat je een zes hebt gekregen voor je opstel, hoef je dat nog niet op mij af te reageren.'

Oké, Lilly, dat zal ik niet doen. Maar je hoeft je ook niet op mij af te reageren omdat je ouders je niet alleen thuis willen laten vanwege die keer dat je de sprinklerinstallatie in werking hebt gezet met een vlammenwerper die je had gemaakt van een aansteker in combinatie met haarspray.

Maar dat zei ik natuurlijk niet hardop.

'Wacht eventjes,' zei Boris. 'Heb jij een zes voor een opstel, Mia? Hoe kan dat nou?'

Dus toen zat er niets anders op dan iedereen aan de lunchtafel maar te vertellen dat mevrouw Martinez een afgrijselijke snob was.

Ze waren natuurlijk allemaal geschokt.

'Maar ze heeft zulke enige klompen!' riep Tina, met een duidelijk gebroken hart.

'Dat bewijst maar weer,' zei Boris, 'dat je iemand niet kunt beoordelen op de manier waarop die zich kleedt.'

Terwijl hij dit zei, keek hij me veelbetekenend aan.

Maar dat kan me niet schelen. Een trui in je broek staat helemaal niemand!

'Ze bedoelt het waarschijnlijk goed,' zei Tina, omdat ze in iedereen het goede wil zien.

'Het valt nooit goed te praten dat de ziel van een kunstenaar wordt gekrenkt,' zei Ling Su, en zij kan het weten want ze kan het beste tekenen van iedereen. 'Een heleboel zogenaamde critici en recensenten bedoelden het goed toen ze in de negentiende eeuw een vernietigend oordeel velden over de impres-

sionisten. Maar als Renoir en Monet hun raad hadden opgevolgd, zouden een paar van de grootste kunstwerken ter wereld nooit tot stand zijn gekomen.'

'Nou ja, ik wil mijn geschrijf niet vergelijken met een schilderij van Renoir,' voelde ik me genoodzaakt op te merken. 'Maar dank je wel, Ling Su.'

'Maar zelfs als dat geschrijf van Mia inderdaad waardeloos is,' zei Boris op zijn vertrouwde botte manier, 'heeft een leraar dan wel het recht haar dat ook te zeggen?'

'Het komt wel een beetje weinig opvoedkundig over,' zei Shameeka.

'Er moet iets aan worden gedaan,' zei Ling Su. 'Maar de vraag is wat?'

Nog voordat we iets konden verzinnen, viel er een donkere schaduw over onze lunchtafel. We keken op en daar stond...

Lana.

De moed zonk ons in de schoenen. Nou ja, in de mijne.

Darth Vader Lana werd vergezeld door de nieuwe Grand Moff Tarkin, Trisha Hayes.

'Leuke posters PIO,' zei Lana. Natuurlijk bedoelde ze dat sarcastisch. 'Maar dat zal je allemaal niks helpen.'

'Nee,' zei Trisha. 'We hebben even een steekproef gedaan in de kantine, en als de verkiezing vandaag zou plaatsvinden, kreeg je maar zestien stemmen.'

'Je bedoelt dat er zestien mensen in de kantine zaten die je in je gezicht durfden te zeggen dat ze niet op je stemden? Goh, ik wist niet dat er zo veel masochisten op school rondliepen,' zei Lilly vriendelijk terwijl ze het chocoladelaagje van een Ho Ho afknaagde.

'Blijf maar lekker sabbelen op die Twinkie, vetzak,' zei Lana. 'Dan zullen we nog wel eens zien wie hier een masochist is.'

'Het is een Ho Ho,' legde Boris uit, want zo is Boris nu eenmaal.

Lana keurde hem geen blik waardig.

'En weet je,' zei Lana, 'ik maak je maandag tijdens het debat helemaal af. Niemand op het Albert Einstein College wil een slakkendumper als voorzitter.'

Slakkendumper! Dat is bijna net zo erg als babylikker!

Maar voordat ik de kans kreeg mezelf te verdedigen wat het slakkendumpen betrof, was Lana al weer weggevlogen.

Omdat ik Lilly niet wilde vernederen door in het bijzijn van haar ex tegen haar te gaan schreeuwen, zeker niet nu hij een stuk is, keek ik haar alleen maar aan en zei: 'Lilly. Naar het meisjestoilet. Nu meteen.'

Tot mijn verbazing ging ze met me mee.

'Lilly,' zei ik, en ik deed mijn best zo tactvol mogelijk te zijn, zoals Grandmère me had geleerd. Niet dat Grandmère me nuttige wenken heeft gegeven over hoe ik met mensen moet omgaan. Maar Grandmère is zo'n moeilijk iemand om mee om te gaan dat ik daar gaandeweg toch iets van heb opgestoken. 'Het heeft nu lang genoeg geduurd. Om te beginnen wil ik helemaal geen schoolvoorzitter worden, maar jij zegt steeds dat je een plan hebt. Lilly, als je echt een plan hebt, wil ik weten wat dat is. Omdat ik er genoeg van heb dat mensen me PIO noemen – wat dat ook mag betekenen. En er komt niets van in dat ik maandag met Lana in debat ga. Absolúút niet!'

'Prinses in opleiding,' was Lilly's enige commentaar. 'Dat betekent PIO, als je het zo graag wilt weten.'

'Ik heb toch tegen je gezegd dat je me niet zo moet noemen,' zei ik met opeengeklemde kaken.

'Niet waar,' zei Lilly. 'Je zei dat ik je geen babylikker of PVG, prinses van Genovia, mocht noemen. Maar niet PIO – prinses in opleiding.'

'Lilly.' Ik stond nog steeds te knarsetanden. 'Ik wil geen schoolvoorzitter worden. Ik heb al genoeg problemen. Ik heb hier geen zin in. En ik heb ook geen zin om maandag waar de hele school bij is in debat te gaan met Lana Weinberger.'

'Wil je dat dit een betere school wordt, of niet?' vroeg Lilly pinnig.

'Jawel,' zei ik. 'Natuurlijk. Maar het is hopeloos, Lilly, ik kan Lana niet verslaan. Ze is het populairste meisje van school. Er gaat niemand op mij stemmen.'

Ik had gedacht dat we alleen in het toilet waren, maar op dat moment werd er een wc doorgetrokken. Plotseling kwam er een tenger brugklassertje uit een hokje om haar handen te wassen bij de wastafel.

'Eh, neem me niet kwalijk, hoogheid,' zei ze tegen me. 'Maar ik bewonder je echt om wat je met die slakken hebt gedaan. In elk geval ben ik van plan om op je te stemmen.'

Lilly en ik staarden elkaar even stomverbaasd aan.

Vervolgens gooide ze de papieren handdoek in de prullenbak en liep de deur uit.

'Ha!' zei Lilly. 'Ha Ha. Zie je nou wel? Ik heb het je toch gezegd! Er gebeurt iets, Mia. Een soort vloedgolf van afkeer voor Lana en haar kliekje. De mensen hebben zwaar genoeg van de macht van de massa. Ze willen een nieuwe koning. Of prinses, in dit geval.'

'Lilly...'

'Doe nou maar gewoon, dan komt alles in orde.'

'Maar Lilly...'

'En houd zaterdag overdag vrij. 's Avonds mag je met mijn broer doen wat je wilt. Als je overdag maar tijd voor me hebt.'

'Lilly, ik wíl geen voorzitter worden,' riep ik uit.

'Maak je geen zorgen,' reageerde Lilly, en ze gaf me een tikje op mijn wang. 'Dat gebeurt ook niet.'

'Maar ik wil niet afgaan omdat ik door Lana word verslagen bij een schoolvoorzittersverkiezing!'

'Maak je geen zorgen,' zei Lilly, terwijl ze voor de spiegel boven de wasbakken een van de vele baretten die ze heeft, goed zette. 'Dat gebeurt niet.'

'Lilly,' zei ik. 'Hoe kan dat nou dat zowel het een als het ander niet gebeurt? Dat bestaat niet!'

Maar toen ging de bel en liep ze weg.

Ik hoop dat ik op internet kan vinden wat mijn beste vriendin mankeert.

Donderdag 10 september, staatsinrichting

GRONDPRINCIPES VAN STAATSBESTUUR, vervolg

GRONDPRINCIPES VAN MACHT
Religie en economie spelen in de geschiedenis een belangrijke rol. Als gevolg hiervan luidt dit grondprincipe:

Regeringen hebben het volk altijd gedwongen tot het betalen van schattingen of belasting.

Dit werd tot een gewoonterecht, waardoor de mensen mythen en legenden ontwikkelden om dit te rechtvaardigen.

Dit lijkt een beetje op de manier waarop sporttypes en cheerleaders op deze school de dienst uitmaken. Terwijl ze helemaal niet de beste cijfers hebben. Het is dus niet de slimste groep hier, en ook zijn ze niet erg aardig tegen de leerlingen die niet alleen maar om sport en feestjes geven. Waar halen ze eigenlijk het lef vandaan om de baas over ons te spelen? Toch is hun woord wet, en iedereen gaat hierin mee door ze er niet op aan te spreken wanneer ze vals tegen anderen doen of op de meest grove manier de schoolregels overtreden, zoals bijvoorbeeld roken en de short van hun vriendje onder hun rok dragen. Dit klopt niet. De misdragingen van een minderheid hebben negatieve consequenties voor een heleboel anderen. En dat is niet eerlijk. Ik vraag me af wat John Locke hierover zou hebben gezegd.

Donderdag, 10 september, algemene natuurwetenschappen

Waarom houdt Kenny niet op over zijn vriendinnetje? Ik geloof heus wel dat ze aardig is en zo, maar is het nou echt nodig dat hij alle gesprekken met haar aan mij doorbrieft?

Magnetisch veld

1. Niet constant – varieert in kracht, maar is nauwelijks waarneembaar
2. Polen verplaatsen zich – een aantal keren zijn de polen van plaats verwisseld
3. Omkering van het magnetisch veld – in de loop der tijd zijn de polen omgekeerd, magnetisch veld verdwijnt, waardoor de aarde wordt gebombardeerd door ionen, mutatie, gevolgd door verwoesting, enzovoort.

Laatste grote omkering: 800.000 jaar geleden, magnetische deeltjes die naar het noorden wezen, maakten een algehele wending en wezen naar het zuiden.

HUISWERK
Gym: n.v.t
Wiskunde: oefeningen, pagina 33-35
Engels: *Strunk and White*, pagina 30-54
Frans: *lisez* L'Etranger *pour lundi*
BLP: n.v.t.
Staatsinrichting: Definieer de grondprincipes van macht
Algemene natuurwetenschappen: verstoringen in de omloop van de aarde

Donderdag 10 september, in de limousine, vanaf het Plaza op weg naar huis

Vanmiddag liep ik dus de suite van Grandmère binnen voor mijn prinsessenlessen, en waar werd ik mee geconfronteerd?

Een onverwachte overhoring over de tafelschikking voor staatshoofden tijdens een diplomatiek diner? Nee, hoor.

Een wals die ik voor een of ander bal moest instuderen? Helemaal mis.

Want dat zijn toch dingen die je zou verwachten bij een prinsessenles. En Grandmère wil me graag bij de les houden, blijkbaar.

In plaats daarvan trof ik in haar suite ongeveer twintig journalisten aan, die stonden te trappelen van ongeduld om het over de campagne voor het schoolvoorzitterschap te hebben. Met mij. En met mijn campagneleider Lilly.

Ja, dat klopt, Lilly. Lilly zat met een uitgestreken gezicht naast Grandmère op de blauwfluwelen sofa en beantwoordde de vragen van de journalisten.

Toen de journalisten mij zagen binnenkomen, sprongen ze allemaal op en duwden microfoons in mijn gezicht. 'Uwe Hoogheid, Uwe Hoogheid. Kijkt u uit naar het debat van maandag?' vroegen ze, en: 'Prinses Mia, zou u iets willen zeggen tegen uw kiezers?'

Ik had maar één ding te zeggen, tegen één kiezer, en dat was Lilly: 'Wat doe jíj hier?'

Waarop Grandmère in actie kwam. Ze liep naar me toe, sloeg haar arm om mijn schouder, en zei: 'Je lieve vriendin Lilly en ik hadden net een onderonsje met deze vriendelijke journalisten over jouw campagne aangaande het schoolvoorzitterschap, Amelia. Maar natuurlijk willen ze graag iets uit jouw mond horen. Wees eens lief, schatje, en zeg eens wat tegen ze.'

Als Grandmère 'schatje' tegen me zegt, weet ik dat er iets niet klopt. Maar natuurlijk wist ik al dat er iets niet klopte omdat Lilly er was. Hoe was ze zo snel naar het Plaza gekomen? Ze had vast de ondergrondse genomen, terwijl ik met de limousine vastzat in het verkeer.

'Ja, prinses,' zei Lilly. Ze pakte mijn hand en trok me toen – niet bepaald zachtjes – naast haar op de sofa. 'Vertel deze aardige journalisten maar wat voor hervormingen je op het AEC denkt in te voeren.'

Ik boog me voorover om net te doen alsof ik een waterkerssandwich van de schaal wilde pakken die het dienstmeisje van Grandmère voor de journalisten had klaargezet. Die hebben namelijk altijd trek, en niet alleen in verhalen. Maar terwijl ik een van die verrukkelijke kleine sandwiches pakte, siste ik in Lilly's oor: 'Nu ben je écht te ver gegaan.'

Lilly glimlachte poeslief naar me en zei: 'Ik geloof dat de prinses graag thee wil, Hoogheid.' Waarop Grandmère reageerde: 'Maar natuurlijk. Antoine! Thee voor de prinses!'

De persconferentie duurde nog een uur, waarbij journalisten uit het hele land me met vragen bestookten over mijn campagne. Ik dacht nog dat er die dag wel erg weinig nieuws moest zijn als mijn kandidaatstelling voor het schoolvoorzitterschap interessant genoeg was om een verhaal op te leveren. Maar toen stelde een van de journalisten me een vraag die duidelijk maakte waarom Grandmère er zo op gespitst was me ten overstaan van heel Midden-Amerika voor gek te laten staan, en dus niet alleen ten opzichte van mijn medescholieren.

'Prinses Mia,' begon een journalist van de *Indianapolis Star*. 'Klopt het dat u zich alleen maar kandidaat heeft gesteld voor het schoolvoorzitterschap – en dat dit ook de enige reden is waarom we hier vandaag zijn uitgenodigd – omdat uw familie de aandacht van de media wil afleiden van iets wat de voorpagina's van de Europese kranten heeft gehaald, namelijk uw daad van ecoterrorisme door het dumpen van tienduizend slakken in de Baai van Genovia?'

Ineens werden twintig microfoons op mij gericht. Ik knipperde een paar keer met mijn ogen, en zei: 'Maar dat had niets met ecoterrorisme te maken. Ik wilde hiermee voorkomen...'

Toen klapte Grandmère in haar handen. 'Wil iemand een heerlijk glaasje grappa? Echte Genoviaanse grappa? Daar zegt toch niemand nee tegen?'

Niet een van de reporters ging erop in.

'Prinses Mia, wilt u commentaar geven op het feit dat Genovia vanwege uw zelfzuchtige daad op het punt staat uit de Europese Unie te worden gestoten?'

Iemand anders riep: 'Wat gaat er door u heen, Hoogheid, bij het besef dat u hoogstpersoonlijk verantwoordelijk bent voor het te gronde richten van de economie van uw land?'

'W... Wat?' Ik kon mijn oren niet geloven. Waar hadden die journalisten het over?

Voor de verandering schoot Lilly me te hulp.

'Mensen!' riep ze, en ze sprong op. 'Als u geen vragen meer heeft die verband houden met Mia's campagne voor het schoolvoorzitterschap, moet ik u helaas vragen te vertrekken.'

'We worden om de tuin geleid!' riep iemand. 'Dat is het! Alleen maar om te verdoezelen waar het echt om gaat!'

'Prinses Mia, prinses Mia!' riep weer een ander, terwijl Lars de journalisten met zachte dwang, of liever gezegd nogal hardhandig, de deur uit werkte. 'Bent u lid van ELF, het Earth Liberation Front? Wilt u een verklaring afleggen uit naam van andere ecoterroristen?'

'Nou,' zei Grandmère, die de helft van haar cocktail in één keer achterover sloeg toen Lars eindelijk de deur achter de laatste journalist had dichtgedaan. 'Dat ging uitstekend, vond je ook niet?'

Ik snapte er echt helemaal niks meer van, en zat er totaal verdwaasd bij. Ecoterrorisme? ELF? En dat allemaal vanwege een paar slakken?

Lilly pakte haar Palm Pilot (waar had ze die vandaan?) en liep naar Grandmère toe.

'Goed. We hebben dus *Time* om zes uur en *Newsweek* om half zeven,' zei Lilly. 'Ik heb bericht gekregen van de publieke radio-omroep, en ik vind echt dat we moeten proberen ze ertussen te stoppen vanavond, dan zitten de automobilisten in de spits naar de radio te luisteren. Dat is alleen maar goed. En New York One wil Mia vanavond graag hebben in de uitzending van *Inside Politics*. Ik heb ze met de hand op hun hart laten beloven dat ze het niet zullen hebben over het E-woord. Wat vindt u?'

'Uitstekend,' zei Grandmère, en ze nam nog een slok van haar cocktail. 'En hoe zit het met Larry King?'

Lilly tikte op de koptelefoon die ze had opgezet, en zei: 'Antoine? Heb je Larry K. al te pakken gekregen? Nee? Nou, ga erachteraan.'

Larry K? Het E-woord? Wat krijgen we nu?

En dat zei ik dus hardop.

Grandmère en Lilly keken me aan alsof ze er net achter waren gekomen dat ik er ook nog was.

'O,' zei Lilly, en ze deed haar koptelefoon af. 'Mia. Dat is waar ook. En dat met ELF? Maak je geen zorgen. Dat is gewoon een schot voor open doel.'

Schot voor open doel? Sinds wanneer heeft Lilly iets met voetbal?

'We wilden je niet ongerust maken, Amelia,' zei Grandmère koeltjes, en ze stak een sigaret op. 'Het heeft allemaal niets om het lijf. Zeg, heb je je haar tegenwoordig altijd zo?

Zou het niet leuker zijn als het een beetje... korter was?'

'Wat is er aan de hand?' vroeg ik, en ik negeerde haar vraag. 'Wordt Genovia echt uit de Europese Unie gestoten omdat ik iets met die slakken heb gedaan?'

Grandmère blies een dikke rookwolk uit.

'Als het aan mij ligt niet,' zei ze terloops.

Ik had het gevoel dat mijn maag zich omdraaide. Het is dus waar!

'Kunnen ze dat dan doen?' vroeg ik. 'Kan de Europese Unie ons eruit schoppen vanwege een paar slakken?'

'Natuurlijk niet!' Dat was mijn vader, die de kamer in kwam lopen met een mobieltje tegen zijn oor gedrukt. Even voelde ik me opgelucht, maar toen besefte ik dat hij het niet tegen mij had. Hij had het tegen zijn telefoontje.

'Nee,' brulde hij tegen degene aan de andere kant van de lijn. Hij bukte om een handvol sandwiches op te pakken die waren overgebleven, en liep toen weer terug naar zijn eigen suite. 'Ze handelde op eigen initiatief, en niet uit naam van een of andere organisatie. O, echt waar? Nou, jammer dat u er zo over denkt. Misschien dat u het zult begrijpen wanneer u zelf een dochter van die leeftijd hebt.'

Hij sloeg de deur achter zich dicht.

'Zo, zullen we het dan nu maar over Amelia's verkiezingsprogramma hebben?' Grandmère pakte haar glas met het laatste slokje cocktail en maakte haar sigaret uit.

'Prima ideetje,' reageerde Lilly en ze drukte de toetsjes van haar Palm Pilot in.

Nu weet ik dus eindelijk waarom Grandmère zo achter dat voorzitterschap aanzit. Het is het enige wat ze kan bedenken om journalisten af te leiden van het feit dat Genovia uit de EU wordt getrapt vanwege dat ecoterrorisme.

Maar wat is Lilly's excuus? Zij was toch wel de laatste van wie

ik zou denken dat ze door Grandmère naar de duistere zijde werd gelokt...

Et tu Lilly?

Nadat ik was geïnterviewd door *Time* en *Newsweek* kwam mijn vader weer de kamer in. Hij zag er behoorlijk gestrest uit, en dus maakte ik mijn verontschuldigingen over de slakken-kwestie.

Het leek alsof hij het inmiddels had verwerkt.

'Maak je nou maar niet al te veel zorgen, Mia,' zei hij. 'Dit overleven we waarschijnlijk wel. Als ik tenminste iedereen ervan kan overtuigen dat je op eigen gelegenheid als burger hebt gehandeld, en niet als toekomstig staatshoofd.'

'En misschien,' voegde ik er hoopvol aan toe, 'verandert iedereen nog wel van gedachten wanneer blijkt dat de slakken geen schade aanrichten en alleen maar goed zijn voor alles.'

'Dat is het hem nu juist,' zei mijn vader. 'Volgens de laatste rapporten die ik van het Koninklijk Genoviaans Duikteam heb gekregen, doen die slakken van jou helemaal niets. En zoals jij zo vurig hoopte en me ook hebt verzekerd, eten ze helemaal geen zeewier.'

Dit was echt heel ontmoedigend om te horen.

'Misschien verkeren ze nog in shocktoestand,' zei ik. 'Ze zijn tenslotte helemaal vanuit Zuid-Amerika ingevlogen. Waarschijnlijk zijn ze nog nooit zo ver van huis geweest. Het duurt denk ik wel eventjes voordat ze aan hun nieuwe omgeving gewend zijn geraakt.'

'Mia, ze zijn daar nu al twee weken. Je zou toch denken dat ze na twee weken wel een beetje honger zouden krijgen en iets gingen eten.'

'Jawel, maar het kan zijn dat ze in het vliegtuig te veel hebben gegeten,' zei ik wanhopig. 'Ik heb namelijk gevraagd of ze zo goed mogelijk voor ze wilden zorgen tijdens het transport...'

Mijn vader keek me alleen maar aan.

'Mia,' zei hij. 'Doe me een lol. Als je nog eens een geweldig plan hebt om de baai te redden van killeralgen, kom je eerst bij mij.'

Au.

Arme pap. Het valt niet mee om prins te zijn.

Vlak daarna ging ik weg. Maar Lilly bleef achter. Lilly bleef dus bij mijn grootmoeder! Omdat ze nog steeds geen contact met Larry had gekregen. Lilly zei dat als ze mij bij Larry King zou weten te krijgen, het een fluitje van een cent was om maandag van Lana te winnen.

Daar ben ik het dus niet mee eens. Misschien wel als ik op MTV zou zijn. Maar op school kijkt niemand naar CNN. Behalve Lilly, natuurlijk.

Nou ja, ik snap wel waarom Grandmère zo graag wil dat ik me kandidaat stel voor het schoolvoorzitterschap.

Maar wat heeft Lilly daar voor belang bij? Omdat ze zo woedend is over die beveiligingscamera's zou je toch denken dat zij zich wel kandidaat zou stellen voor het voorzitterschap. Wat zou dat nou weer te betekenen hebben?

Donderdag 10 september, thuis

Even raden waar ik ga logeren wanneer mijn moeder en meneer G. de stad uit zijn? Jawel. In het Plaza.

Bij Grandmère!!!

O, maar echt wel in een eigen kamer. Geen sprake van dat ik in dezelfde suite ga slapen als Grandmère. Zeker niet sinds die keer dat ze bij mij thuis bleef logeren. Ik heb toen bijna geen oog dicht gedaan omdat ze zo hard snurkte. Ik kon het helemaal in de huiskamer horen.

En dan hebben we het er maar niet over dat ze echt een goorlap is in de badkamer.

Ik had het trouwens wel verwacht. Geen sprake van dat mam en meneer G. me alleen thuis zouden laten. Zelfs niet als de hele Koninklijke Genoviaanse Garde op het dak van ons huis klaarstond om eventuele internationale prinsessengijzelnemers de pas af te snijden. Zeker niet na wat er op mijn verjaardagsfeest is gebeurd.

Niet dat het mij iets kan schelen. Zeker niet omdat het land waarover ik eens zal regeren door mijn schuld het meest gehate land in Europa is geworden. En dat is nogal wat, want Frankrijk is er immers ook nog.

Ik had trouwens nooit gedacht dat het mogelijk was om nog meer in de stress te raken dan ik al was, als je bedenkt dat:

- Ik al na drie dagen weet dat ik het nooit ga redden met wiskunde.
- Mijn beste vriendin me kandidaat heeft gesteld voor schoolvoorzitter, en ik het moet opnemen tegen het populairste meisje van de school. Dat me maandag ten overstaan van alle leerlingen als een insect zal verpletteren in een vernederend debat.

- Mijn lerares Engels, over wie ik zo opgetogen was en van wie ik zeker wist dat ze me zou weten te vormen tot de schrijfster die ik in aanleg ben, vindt dat mijn proza nooit en te nimmer op een onschuldig publiek mag worden losgelaten. Of iets dergelijks.
- Mijn vriendje blijkbaar verwacht dat ik Het met hem doe.
- Ik een babylikker ben.

Maar gelukkig kan ik hierbij aantekenen dat ik tienduizend slakken uit Zuid-Amerika heb laten overvliegen en in de Baai van Genovia heb laten dumpen, in de hoop dat ze de killeralgen om zeep zouden helpen die ons kwetsbare ecosysteem aan het vernietigen zijn. Helaas ben ik erachter gekomen dat de Zuid-Amerikaanse slakken niet van Europees eten houden, en dat de buren van Genovia nu niets meer met ons te maken willen hebben. Hoera!

Kan ik nou helemaal níéts goed doen?

Misschien heeft Becca wel gelijk en zou ik echt met yoga moeten beginnen. Alleen heb ik dat al een keer geprobeerd met Lilly en haar moeder in 92nd Street Y, en toen moest ik steeds met mijn kont omhoog staan. Waarom vermindert stress wanneer je met je kont omhoog staat? Ik voelde me alleen nog maar meer gestrest, omdat ik me de hele tijd afvroeg wat de anderen van mijn kont zouden vinden.

Meestal schrijf ik een gedicht om mijn getergde zenuwen te kalmeren.

Maar ik kan nu echt geen gedichten schrijven. Want ik weet zeker dat Karen Martinez zich op dit moment over een zielenroersel van mijn hand buigt. Ik hoop maar dat ze beseft dat ze mijn dromen om een geslaagd schrijfster te worden – of ten minste een doorgewinterd internationaal journaliste – in haar handen met zwartgelakte nagels houdt. Ik hoop van harte dat

ze mijn dromen niet zal vermorzelen als een insect onder Dikke Louies grote poten.

Ik besef heus wel dat de kans heel klein is dat ik ook echt aan schrijven toekom als ik eenmaal de troon bestijg, omdat ik er dan mijn handen aan vol zal hebben de EU zover te krijgen dat mijn land weer wordt toegelaten.

Maar ik had het wel fijn gevonden om een boek, of zelfs alleen een krantenartikel, te zien waarbij de naam Mia Thermopolis als auteur stond vermeld.

Nu moet ik even checken of mijn moeder wel op de hoogte is van alle veiligheidsvoorschriften in een vliegtuig. Ze hebben namelijk geen stoel voor Rocky gereserveerd. Mocht het vliegtuig neerstorten, dan hoop ik maar dat ze bereid is zichzelf als menselijk schild op te werpen om te voorkomen dat Rocky in de vlammen omkomt.

En ik hoop ook dat meneer G. weet dat hij de rijen moet tellen tussen zijn stoel en de dichtstbijzijnde nooduitgang, voor het geval het vliegtuig op water moet landen, zinkt en de lichten uitgaan, zodat hij mijn moeder en Rocky in veiligheid kan brengen.

Donderdag 10 september, thuis, iets later

Jemig! Over snel aangebrand gesproken! Ik weet echt niet waarom ze zo kwaad werden. Het is toch belangrijk om de veiligheidsvoorschriften voor vliegtuigen te kennen! Daarom hebben luchtvaartmaatschappijen die kaarten gemaakt die achter op de stoelen hangen. Hallo? Maar goed dat ik ze al jaren verzamel, want nu kon ik ze gebruiken ter illustratie van mijn praatje over hoe je veilig moet vliegen met baby's.

Je zou toch denken dat ze mijn proactieve gedrag een beetje zouden waarderen.

Ik krijg een berichtje...

O, dat is Michael!

SKINNERBX: Hé! Je bent thuis! Ik heb je op New York 1 gezien.

DKLOUIE: Wat? Jemig! WAT ERG!

SKINNERBX: Nee hoor, je deed het goed. Maar klopt dat over de EU?

DKLOUIE: Blijkbaar. Maar mijn vader zeg dat het wel goed komt. Denkt hij. Hoopt hij.

SKINNERBX: Ze moesten zich doodschamen. Weten ze dan niet dat jij alleen maar hun fouten probeerde recht te breien?

DKLOUIE: 'Je hebt helemaal gelijk. Hoe ging het vandaag?

SKINNERBX: Geweldig. Tijdens de werkgroep Beleidsvoering onder Onvoorziene Omstandigheden hebben we het gehad over satellietbeelden die aantoonden dat Yellowstone Park eigenlijk één enorme krater is, een soort supervulkaan, en in wezen een ondergronds magmareservoir dat om de 600.000 jaar tot een uitbarsting komt, die nu al 40.000 jaar op zich laat wachten. Wanneer het tot een uitbarsting komt, zou de vulkanische as die bij de explosie vrijkomt zich helemaal tot Iowa verspreiden. Deze eruptie zal 2500 keer krachtiger zijn dan die van Mount St. Helen. Dat zal tienduizenden doden tot gevolg hebben, en nog eens miljoenen vanwege de daaropvolgende nucleaire winter. Tenzij we natuurlijk een manier verzinnen om iets van de druk weg te nemen en daarmee een wereldramp voorkomen.

Oké, dit moet me echt even van het hart. Op wat voor universiteit zit Michael eigenlijk?

SkinnerBx: Maar gaan je moeder en meneer G. nog steeds weg dit weekend?

DkLouie: Ja. Ik moet bij Grandmère logeren.

SkinnerBx: Errug. Eigen kamer?

DkLouie: Natúúrlijk! Wel op dezelfde verdieping. Ik hoop alleen dat ik haar niet dwars door de muren heen hoor snurken.

SkinnerBx: Heeft je vader gezorgd voor bodyguards op de gang bij jouw kamer? Of zitten die in de kamers daarnaast?

Jemig, wat stelt hij toch een idiote vragen. Wat zijn jongens toch ráár.

DkLouie: Lars zit met de andere bodyguards op de verdieping daaronder.

SkinnerBx: Zijn er ook bewakingcamera's?

De familie Moscovitz is tegenwoordig behoorlijk gefixeerd op bewakingscamera's.

DkLouie: Nee, er zijn geen bewakingscamera's. Nou ja, wel die van het hotel, waarschijnlijk. Zoals in *Maid in Manhattan*. Maar niet van de KGG.

KGG staat voor Koninklijke Genoviaanse Garde, waarvan Lars deel uitmaakt.

DkLouie: Maar waarom vraag je dat allemaal? Ben je van plan om binnen te sluipen en de kroonjuwelen te stelen? Je hebt toch al een stuk maansteen? Wat wil je nog meer? Ha ha.

SkinnerBx: Ha ha. Echt niet. Ik vroeg het me alleen af. Dus je komt zaterdag?

DkLouie: Dat is het enige waarop ik me nog verheug.

SkinnerBx: Weet ik, ik mis jou ook.

Wauw. Echt hoor, Het is misschien niet feministisch van me, maar ik vind het heerlijk als hij dit soort dingen zegt – of schrijft. Eigenlijk is schrijven beter, want dan staat het tenminste zwart op wit. Dat hij van me houdt.

En dan hoor ik een bekend geluid.

DkLouie: Michael, ik moet ophouden. Rocky-dienst.

SkinnerBx: Snap het. Over en uit.

Weet je, ik denk echt dat Lana het helemaal mis heeft. Niet álle studenten verwachten van hun vriendinnetje dat ze Het doet. Michael heeft er namelijk met geen woord over gesproken.

Want toen hij een paar pizzapunten had afgerekend in Ray's Pizza, en zijn portemonnee op tafel had laten liggen toen hij naar de wc ging, heb ik daar even vlug in gekeken. Ik was namelijk wel nieuwsgierig wat jongens in hun portemonnee hebben, en dit zat erin:

- Achtenveertig dollar
- Kaartje voor de ondergrondse
- Lidmaatschapskaart van het Hayden Planetarium
- Studentenpasje
- Rijbewijs
- Kortingskaart van Forbidden Planet Comic Superstore
- Bibliotheekkaart

Maar geen condoom.

Wat maar weer duidelijk maakt dat mijn vriendje blijkbaar andere dingen aan zijn hoofd heeft dan seks.

Zoals de toekomstige energiecrisis. En door supervulkanen veroorzaakte wereldrampen.

Dat kan Lilly over Boris bijvoorbeeld helemaal niet zeggen.

Ik bedoel, Tina.

Maakt niet uit.

Misschien hoeven Michael en ik helemaal geen Goed Gesprek te hebben.

Vrijdag 11 september, gym

Ik heb toch zó'n bloedhekel aan haar.

Vrijdag 11 september, wiskunde

Echt hoor, wanneer rot ze nou eens op?

Theorema = stelling die logisch wordt afgeleid uit andere, geaccepteerde uitspraken.

> Ze heeft het alleen maar gezegd om te treiteren.
> Toch?
> Want het kan niet waar zijn. Dat kán niet.
>
> Toch?

Vrijdag 11 september, Engels

Wat was dat nou?

Wat? O, dat knijpdingetje in de vorm van een pompon? Wat moet ik nou met een idiote plastic pompon waarop staat: STEM OP LANA? Ik háát Lana. Weet je wat ze tegen me heeft gezegd onder gym? Waar Lilly bij stond?

Nou???

Ze zei dat studenten de vriendinnetjes die Het niet met hen willen doen, dumpen voor meisjes die wél willen.

Zei ze dat ECHT?

Ja, hoor. In de douche. Waar iedereen bij stond. Waar Lilly bij stond. Die gaat het nu aan Michael vertellen.

Dat doet ze niet. Waarom zou ze?

Omdat hij haar broer is.

Dat doet ze niet. Sommige dingen zeg je niet tegen je broer. Geloof mij nou maar, Mia, ik heb zelf een broer, weet je.

Tina, jouw broer is drie jaar.

Oké dan. Lilly zegt echt niks tegen Michael. Maarre.... wat zei ze toen?

Ze zei tegen Lana dat ze het in haar reet kon stoppen.

Zie je wel? Ik zei het toch.

Ja maar! Weet je wat ze nog meer zei? Lana, bedoel ik. Ze zei dat jongens Het moeten doen. Want als ze dat niet doen, dan hoopt het zich het maar op en dan worden ze gek.

Wacht even... wat hoopt zich maar op?

Jeweetwel. Denk maar even aan maatschappijleer vorig jaar.

GETVER!!! Dat gebeurt helemaal niet. Dat ophopen, bedoel ik. Anders had meneer Wheeton het daar echt wel over gehad.

Maar het zou wel verklaren waarom jongens vriendinnetjes dumpen die Het niet willen doen en die inruilen voor meisjes die wel willen. Als het nou eens waar is, Tina. Als Lana nou eens iets weet wat wij niet weten?

Daar is heel gemakkelijk achter te komen. Heb je het er al met Michael over gehad?

Nog niet! Dat heb ik toch gezegd!

Nou, als je hem morgen ziet, begin je er gewoon over en dan kom je er meteen achter...

TOCH NIET TE GELOVEN DAT ZE DIE STOMME DINGEN ZOMAAR STAAT UIT TE DELEN? *Dat moet haar een vermogen hebben gekost! Moet je zien wat voor rotzooi het is, je kunt dat* STEM OP LANA *er zó met je vinger afkrabben. Waarschijnlijk is het ook nog verf op loodbasis. Ik zou de milieupolitie moeten bellen. Trouwens, Mia, denk alsjeblieft niet dat je*

nu tekortschiet. Ik heb je grootmoeder gebeld en alles is onder controle. We gaan voor jou ook iets vinden om uit te delen.

Lilly! Ik wil helemaal niets uitdelen. Ik wil ook helemaal geen voorzitter worden!

Maak je geen zorgen. Dat gebeurt niet.

Dat zeg je nou maar steeds, Lilly, maar elke keer als ik even niet kijk, doe je iets om ervoor te zorgen dat ik zal winnen. Je belt bijvoorbeeld mijn grootmoeder om haar over te halen dingen weg te geven zodat iedereen op me zal stemmen!!!

O, zou je Mia's grootmoeder zo ver kunnen krijgen dat ze gratis tiara's weggeeft? Ik zou er dolgraag eentje willen hebben!

We gaan geen tiara's weggeven, Tina. Daar hebben we het budget niet voor. Maar ik ben wel op zoek naar van die knijpdingetjes in de vorm van een tiaraatje.

Wil je nou even naar me luisteren, Lilly? Ik kan er niet meer tegen! Het moet nu afgelopen zijn met die flauwekul!

Rustig maar, PIO. Het komt allemaal goed. Mijn broer gaat je echt niet dumpen omdat je Het niet met hem doet. Als hij tenminste wil dat er niks met die stomme hond van hem gebeurt.

!

Doet er niet toe. Lana gaat eraan. Maak je geen zorgen. En je wéét dat Michael niet zo is.

Maar hij studeert nu, Lilly. Hij is aan het veranderen. Elke keer dat ik hem spreek, heeft hij wel weer iets gruwelijks geleerd. En hoe zit het dan met dat... ophopen?

Hallo, het zijn allemaal stuudjes. Niemand doet daar aan seks. Geloof mij maar. Heb je die meisjes wel eens goed bekeken toen we hem hielpen met verhuizen? Hé, dit is dus shampoo. Daar kun je je haar mee wassen.

Dat is waar, Mia, je bent veel leuker dan die geniale studentenmeisjes. Weet je nog, het studentenclubje van Elle in Legally Blonde?

Kunnen we ons alsjeblieft concentreren op belangrijker zaken? Plastic knijptiaraatjes. Ja of nee?

Jeminee. Ze geeft me mijn opstel terug... En het is...

...Eén en al rood. O, Mia. Wat rot voor je. Mia? Mia?

Vrijdag 11 september, het kantoortje van de schoolverpleegster

Ik lig hier met een koude lap op mijn voorhoofd. Het valt nog niet mee om in je dagboek te schrijven en tegelijkertijd een koude lap tegen je voorhoofd te houden, merk ik nu.

De schoolverpleegster, mevrouw Lloyd, zegt dat ik stil moet blijven liggen en niet zo veel moet denken. Ha! Wie denkt ze wel dat ze voor zich heeft? Mij, Mia Thermopolis! Niet veel denken is voor mij geen optie. Denken is het enige wat ik doe.

Gelukkig kan ze niet zien dat ik haar raad niet opvolg, want ze is in haar hokje verdwenen om een paar formulieren in te vullen. Ik hoop maar dat het formulieren zijn om me te laten opnemen. Als ik in het gekkenhuis zit, kan ik niet met Lana in debat gaan.

Maar mevrouw Lloyd zegt dat ik niet gek ben. Ze zegt dat iedereen een breekpunt heeft, en het mijne was toen ik de gang in liep nadat ik weer een zes voor Engels had gekregen, en mijn grootmoeder daar zag staan in een hermelijnen cape en een tiara op terwijl ze pennen stond uit te delen met het opschrift PROPRIETÉ DU PALAIS ROYAL DE GENOVIA.

Mevrouw Lloyd zegt dat ik er niks aan kon doen dat ik door het lint ging, het doosje pennen uit Grandmères handen griste en dat naar de beveiligingscamera gooide die boven de deur van rectrix Gupta's kantoortje hangt.

De camera is niet eens kapot. Maar er liggen wel overal pennen.

Maar met de camera is niets aan de hand.

Ik weet niet waarom ze mijn vader en moeder hebben gebeld.

Mevrouw Lloyd zegt dat ik me rustig moet houden totdat ze hier zijn. Op mijn verzoek houdt ze Grandmère buiten de deur.

Niet dat het nou echt Grandmères schuld is. Ze wilde alleen maar helpen. Lilly heeft haar vast gebeld en haar verteld over de plastic pompons van Lana. Dus voelde Grandmère zich geroepen snel hiernaartoe te komen met iets wat ik volgens haar kon uitdelen.

Want wie wil er nou géén pen met PROPRIETÉ DU PALAIS ROYAL DE GENOVIA erop?

Eigenlijk kan helemaal niemand er iets aan doen. Alleen ik. Ik had mevrouw Martinez nooit dat opstel moeten geven. Wat bezielde me? Hoe heb ik ook maar één seconde kunnen denken dat ze een opstel zou kunnen waarderen waarin ik de verboden liefde van Romeo en Julia vergeleek met die van Britney Spears en Jason Allen Alexander? Ik heb echt wel mijn hele ziel erin gelegd. Ik wilde dat de lezer het verdriet zou voelen dat Britney had vanwege de manier waarop Jason en zij door de media, haar manager en haar platenmaatschappij uit elkaar werden gedreven, en dat er daardoor voor haar niets anders opzat dan maar weer teruggaan naar Kevin. Het is zonneklaar dat deze jeugdige geliefden voor elkaar bestemd waren...

Toch had ik kunnen weten dat mevrouw Martinez niet zo veel met Britney op had als ik. Het is wel duidelijk dat ze nooit écht goed heeft geluisterd naar 'Toxic'.

O nee, hè?

Er komt iemand aan! Lap moet terug op hoofd!!!

Vrijdag 11 september, kantoortje schoolverpleegster, later

Het was mijn vader maar. Ik vroeg hoe het hem was gelukt om zo snel hierheen te komen, en hij zei dat hij toch op weg was naar de Franse ambassade om te praten over het feit dat ze vóór hebben gestemd om Genovia uit de EU te stoten.

Daardoor raakte ik nog meer in de put. Dat herinnerde me er namelijk aan dat ik mijn eigen volk zo gruwelijk in de steek heb gelaten door die hele slakkenkwestie.

Pap zei dat ik me geen zorgen moest maken, en dat als er iemand uit de EU moest worden gezet, dat Monaco zou zijn, omdat dat had toegestaan dat Jacques Cousteau Zuid-Amerikaans zeewier in de Middellandse Zee dumpte. En dat gold net zo hard voor de Fransen, omdat die ongeveer tien jaar lang alleen maar hadden toegekeken. Maar daar was Frankrijk altijd al goed in geweest, legde hij uit.

Ik verontschuldigde me tegenover mijn vader dat ik zijn politieke onderhandelingen had verstoord, maar toen wreef hij over mijn hand en zei dat iedereen af en toe recht heeft op een 'fikse huilbui'. Ik vroeg hem of dat de diagnose was van mevrouw Lloyd, en hij zei: 'Niet echt,' maar dat hij in zijn leven heel veel fikse huilbuien had gezien. Hoewel alleen maar bij mensen die meer Genoviaanse prosecco op hadden dan goed voor hen was.

Het is een geweldige afgang om als een grote baby te gaan zitten snotteren waar de hele school bij is, en dan ook nog een keer in aanwezigheid van je vader. Zeker als er geen tissues voorhanden zijn, want die had ik allemaal al opgebruikt. Dus moest ik mijn neus snuiten in mijn vaders zijden zakdoek. Niet dat hij dat erg leek te vinden. Hij gooit hem waarschijnlijk toch weg en koopt dan een nieuwe. Zoals Britney Spears

met al haar ondergoed doet. Het is best fijn om prins te zijn. Of popster.

Goed. Pap was bezorgd, en vroeg steeds maar: 'Wat is er dan aan de hand?'

Wat er aan de hand is, pap? VAN ÁLLES!!!

Ik kon alleen maar zeggen wat er met mevrouw Martinez aan de hand was. Want ik wist dat als ik hem zou vertellen dat ik ziek was van dat hele verkiezingsgedoe, hij dat toch niet zou snappen en waarschijnlijk iets vaderlijks zeggen als: 'O, Mia, boor jezelf niet zo de grond in. Je weet best dat je dat heel goed zou kunnen.'

En ik zou zeker niks kunnen vertellen over dat gedoe met Michael. Ik houd echt van mijn vader. Ik wil niet dat door mijn schuld zijn hoofd ontploft.

Eerst wilde mijn vader me niet geloven. Jeweetwel, dat ik een zes had voor een opstel. Hij stond erop dat ik het hem liet zien.

En toen kneep hij zijn ogen samen – ik denk eigenlijk omdat hij zijn bril in de limousine had laten liggen – en schraapte een paar keer zijn keel en barstte toen los.

Of hij dáár nu twintigduizend dollar per jaar voor betaalde, en in wat voor wereld we eigenlijk leefden als een meisjesdroom kapot werd gemaakt alsof het niks was, en als die mevrouw Martinez dacht dat ze dit ongestraft kon doen, haar nog wat te wachten stond.

Op die manier dus. Het was wel even leuk om hem zo razend rond te zien stuiteren.

Uiteindelijk kwam mevrouw Lloyd binnen en nam hem voorzichtig mee naar de deur.

Terwijl mijn vader met zachte hand door mevrouw Lloyd werd weggeleid, lukte het mijn moeder binnen te glippen. Ze had Rocky in een draagzak en zag er reuze opgewonden uit. Ik

ging rechtop zitten en ik rook even aan Rocky's hoofdje, want Rocky ruikt bijna net zo lekker als Michaels nek, maar wel heel anders, natuurlijk.

Maar de geur van Rocky's hoofdje kan mijn gewonde ziel niet zo veel troost bieden als de geur van Michaels hals.

Terwijl ik aan Rocky zat te ruiken, zei mam: 'Mia, je hebt wel een erg ongelukkig moment uitgekozen om een zenuwinstorting te krijgen. Over twee uur vertrekt ons vliegtuig naar Indiana.'

Ik verzekerde mijn moeder dat ik geen zenuwinstorting had, en dat het alleen maar een fikse huilbui was. Alleen zei ik niet waardoor die was veroorzaakt. Bijvoorbeeld niet wat Lana had gezegd over studenten. En dat mevrouw Martinez mijn droom om schrijfster te worden wreed had verstoord. Ik zei dat ik misschien nog een jetlag had vanwege de zomervakantie in Genovia.

'Dit is geen jetlag,' zei mijn moeder schamper. 'Dit heeft alles met Clarisse Renaldo te maken.'

Nou ja, ik had het niet hardop willen zeggen. Tenminste niet tegen mijn moeder, die heeft al genoeg redenen om een hekel te hebben aan Grandmère.

Maar het is wel waar dat het de druppel was die de emmer deed overlopen toen ik Grandmère in de gang pennen zag uitdelen.

'Ze bedoelt het goed,' legde ik uit.

'O ja?' vroeg mam ongelovig.

Ik verzekerde mijn moeder dat Grandmère dit keer alleen maar het welzijn van de troon voor ogen had gehad. Als de aandacht voor mijn verkiezingscampagne had voorkomen dat de pers achter het verhaal aanging dat Genovia uit de EU zou worden geschopt, was dat het allemaal waard geweest.

Of zoiets.

Ik kon aan het gezicht van mijn moeder zien dat ze dit ook niet geloofde.

'Mia, als je wilt ophouden met die verkiezingscampagne, zeg je het maar. Dan doe ik er wat aan.'

Mijn moeder kan er behoorlijk fel uitzien als het moet. Zelfs met een schattige baby in een draagzak. Echt hoor, als ik zou moeten kiezen tussen een debat met Lana of een debat met mijn moeder, dan zou ik altijd voor Lana kiezen.

'Nee, mam, alles is oké,' zei ik. 'Met mij is het ook prima. Echt waar. Zeg... Ga je Wendell opzoeken als je in Versailles bent?'

Mam zat te hannesen met Rocky's voetje, dat verstrikt was geraakt in de Tibetaanse gebedsvlaggetjes die aan zijn draagzak hingen. 'Wie?'

'Wendell Jenkins.' Jemig! Het is toch onvoorstelbaar dat ze zich niet eens meer de man herinnert aan wie ze de bloem van haar maagdelijkheid heeft geschonken? 'Hij woont daar nog steeds. Met April. Hij werkt voor de elektriciteitsmaatschappij. En wist je ook dat April Maïsprinses is geweest?'

Mam keek geamuseerd. 'Echt? Hoe weet je dat allemaal, Mia?'

'Van internet,' zei ik. 'Als je April mocht tegenkomen, zeg je maar dat je de moeder bent van de prinses van Genovia. Dat is een stuk beter dan Maïsprinses, zelfs als we inderdaad uit de EU worden gekwakt.'

'Dat zal ik zeker doen,' zei mam. 'Weet je zeker dat het goed is met je? Want ik ga niet naar Versailles als je wilt dat ik hier blijf.'

Ik drukte mam nog een keer op het hart dat alles goed met me was. Op dat moment kwam mevrouw Lloyd binnen, en die zei min of meer hetzelfde tegen mijn moeder. Nadat mevrouw Lloyd even tegen Rocky had zitten kirren – omdat hij het aller-

liefste baby'tje van de wereld is en iedereen die hem ziet meteen tegen hem gaat kirren – ging mam weg en bleef ik achter met mevrouw Lloyd.

Waardoor me te binnen schoot dat ik nog iets wilde weten. En iemand uit de gezondheidszorg was wel de aangewezen persoon, want er was geen computer in de buurt dus kon ik niet op internet kijken.

'Mevrouw Lloyd,' zei ik met een thermometer in mijn mond, die ze erin had gestopt om te zien of ik wel helemaal beter was en weer terug kon naar de klas.

'Ja, Mia?' Ze nam mijn polsslag op terwijl ze op haar horloge keek.

'Klopt het dat als jongens Het niet doen, het zich ophoopt?'

Mevrouw Lloyd snoof even afkeurend. 'Doet dat verhaal nou nog steeds de ronde? Mia, jij zou toch beter moeten weten. Je hebt toch ook maatschappijleer gehad?'

'Dan... is het dus niet waar?'

'Absoluut niet.' Mevrouw Lloyd liet mijn pols los en haalde de thermometer uit mijn mond. 'En laat je door niemand iets op de mouw spelden. Trouwens, condooms die te lang in een portemonnee in je zak hebben gezeten, moet je weggooien en vervangen door nieuwe. Door de wrijving van je portemonnee kunnen er kleine gaatjes in het latex ontstaan.'

Ik staarde haar met open mond aan. Hoe wíst zij dat nou?

Mevrouw Lloyd keek naar de thermometer en zei: 'Ik doe dit werk al heel lang. O kijk, zevenendertig, je bent weer beter. Je mag weg als je wilt. Maar eerst nog één ding, Mia.'

Ik keek haar vol verwachting aan.

'Je moet alles niet zo opkroppen,' zei ze. 'Ik weet dat je een heleboel in je dagboek opschrijft – ja, dat heb ik heus wel gezien – en dat is prima. Maar je moet je gevoelens ook úítspreken. Zéker als je boos bent op iemand. Hoe meer je ze bin-

nenhoudt, des te vaker je zoiets als van vandaag zal overkomen. Ik weet dat prinsessen zich moeten beheersen, maar het is wel zo dat als er één iemand is die moet voorkomen dat dingen zich ophopen, jij dat bent. Begrijp je dat?'

Ik knikte. Mevrouw Lloyd is misschien wel de slimste persoon die ik ken. Inclusief de genieën met wie ik bevriend ben of verkering heb.

'Mooi. Ik zal je een briefje meegeven dat je niet meer naar de les hoeft.'

En dat schrijft ze dus nu.

Weet je wat?

Mevrouw Lloyd is gewéldig!!!

Aantekening voor mezelf: Tegen Tina zeggen dat Boris een nieuw condoom moet kopen voor geval ze Het doen na het schoolbal.

Vrijdag 11 september, trap naar de derde verdieping

Toen ik uit het kantoortje van mevrouw Lloyd kwam, zat Lilly in de gang op me te wachten. Ze had drie strafbriefjes in haar hand, want de conciërge had haar daar gesnapt en haar opgeschreven.

Maar ze zegt dat het haar niets kan schelen, omdat ze absoluut wilde weten of alles in orde was met me. Ze zei dat ze me hoognodig moest spreken.

Ik herinnerde me dat mevrouw Lloyd tegen me had gezegd dat ik niet alles moest opkroppen, dus zei ik tegen Lilly dat ik haar ook hoognodig moest spreken.

Daarom zijn we naar boven geglipt, waar niemand ons kan zien, tenzij iemand het dak op moet. Maar de enige keer dat iemand het dak op moet, is wanneer een kind uit het gebouw naast ons zijn Pikachu of iets dergelijks uit het raam heeft gegooid en de conciërge of de portier van hiernaast het van het dak van de school moet halen.

Ik kan wel zeggen dat ik eerst een beetje afstandelijk deed tegen Lilly, want hallo, zij was tenslotte medeverantwoordelijk voor mijn fikse huilbui. Ik bedoel maar, pennen uit het paleis???

'Maar iedereen vond ze geweldig,' was haar excuus. 'Echt hoor, Mia, ze willen ze allemaal als aandenken hebben. Niet iedereen woont 's zomers in een paleis, namelijk.'

'Daar gaat het niet om.' Het is bijna niet te geloven. Hoewel Lilly een genie is, moet ik dit soort dingen nog steeds aan haar uitleggen. 'Waar het om gaat is dat je me hebt beloofd dat ik hier niet mee door hoefde te gaan.'

Lilly knipperde even met haar ogen. 'Wanneer heb ik dat dan gezegd?'

'Lilly!' Ik was verbijsterd. 'Je hebt gezworen dat ik geen schoolvoorzitter hoef te worden!'

'Weet ik,' zei Lilly. 'En dat hoeft ook niet.'

'Maar je hebt me ook beloofd dat Lana me niet in de grond zal stampen waar iedereen bij is.'

'Weet ik,' zei Lilly. 'En dat doet ze ook niet.'

'Lilly!' Ik had het gevoel dat mijn schedeldak eraf zou vliegen. 'Als Lana het niet van me wint, word ik schoolvoorzitter!'

'Nee, jij niet,' zei Lilly. 'Ik.'

Nu was het mijn beurt om met mijn ogen te knipperen. 'Wat zeg je nou? Dat slaat toch nergens op?'

'Jawel,' zei Lilly kalm. 'Kijk, het volgende gaat gebeuren: jij wint de verkiezing – want jij bent prinses, en je bent tegen iedereen aardig, en iedereen mag je graag. En na een verantwoorde periode – laten we zeggen twee of drie dagen – ben je helaas gedwongen het voorzitterschap vaarwel te zeggen omdat je het veel te druk hebt met dat prinsessengedoe. En daarna zal ik, omdat jij me tot vicevoorzitter hebt benoemd, de verantwoordelijke taak van schoolvoorzitter dienen te aanvaarden.' Lilly haalde haar schouders op. 'Snap je? Simpel hè?

Met stomheid geslagen staarde ik Lilly aan.

'Wacht even. Doe je dit allemaal om ervoor te zorgen dat jíj voorzitter kan worden?'

Lilly knikte.

'Lilly, waarom heb je je dan niet kandidaat gesteld?'

En toen gebeurde er iets volkomen onverwachts. Achter haar brillenglazen vulden Lilly's ogen zich met tranen. En van het ene op het andere moment had Lilly haar eigen fikse huilbui.

'Omdat ik nooit zou kunnen winnen,' zei ze snikkend. 'Weet je nog hoe ik tijdens de verkiezing van vorig jaar ben afgegaan? Niemand vindt me aardig. En jou wel, Mia. Je mag dan

wel een babylikker zijn, maar ondanks die prinsessenkwestie kun je goed met mensen omgaan. Ik kan met niemand omgaan. Misschien wel omdat ik een genie ben, en mensen daar bang voor zijn, of zoiets. Ik weet eigenlijk niet waarom. Je zou toch zeggen dat iedereen de slimste voorzitter wil hebben, maar in plaats daarvan vinden ze het heel normaal om op complete halvegaren te stemmen.'

Ik probeerde me er niets van aan te trekken dat Lilly me een halvegare noemde. Ze zat tenslotte midden in een zware persoonlijke crisis.

'Lilly,' zei ik verbouwereerd. 'Ik wist niet dat je zo over jezelf dacht. Dat je niet populair was, bedoel ik.'

Lilly keek op van de strafbriefjes die ze had ondergehuild.

'W-waarom zou ik denken dat ik populair ben?' stamelde ze treurig. 'Jij bent mijn enige echte vriendin.'

'Dat is niet waar,' zei ik. 'Je hebt een heleboel vriendinnen: Shameeka, Ling Su en Tina...'

Toen ik Tina's naam noemde, begon Lilly nog harder te huilen. Ik dacht te laat aan Boris en dat hij een stuk was geworden.

'O,' zei ik, en ik wreef over Lilly's rug. 'Sorry, hoor. Ik wilde alleen maar zeggen... Nou, maakt niet uit. Mensen vinden je heus wel aardig, Lilly. Maar soms...'

Lilly hief haar betraande gezicht.

'W-wat dan?' vroeg ze.

'Nou,' zei ik. 'Soms ben je niet zo aardig. Zoals tegen mij, bijvoorbeeld. Met dat babylikken, en zo.'

'Maar je bént toch een babylikker?' zei Lilly voor alle duidelijkheid.

'Jawel,' zei ik. 'Maar weet je, dat hoef je niet de hele tijd te zeggen.'

Lilly liet haar hoofd op haar knieën rusten.

'Dat zal wel niet,' zei ze met een zucht. 'Je hebt gelijk. Sorry.'

Omdat ze nu toch in een milde bui was, voegde ik eraan toe: 'En ik vind het ook niet leuk wanneer je PVG of PIO tegen me zegt.'

Lilly keek me niet-begrijpend aan.

'Hoe moet ik je dan noemen?'

'Wat vind je bijvoorbeeld van gewoon Mia?'

Lilly moest hier kennelijk even over nadenken.

'Maar dat is zo... afgezaagd.'

'Maar zo heet ik wel,' zei ik.

Lilly slaakte weer een zucht.

'Oké dan,' zei ze. 'Je hebt geen idee hoe goed je het voor elkaar hebt, PVG. Ik bedoel, Mia.'

'Hoezo, goed? Ik? Alsjeblieft zeg!' Ik moest bijna heel hard lachen. 'Ik heb een vreselijk leven op het moment. Heb je gezien wat voor cijfer mevrouw Martinez me voor mijn opstel heeft gegeven?'

Lilly droogde haar tranen.

'Eh, jawel,' zei ze. 'Dat was inderdaad een tikkeltje ongevoelig. Maar een zes is helemaal niet zo slecht hoor, Mia. Trouwens, ik zag net dat je vader op weg was naar haar lokaal. Hij zag eruit alsof hij haar de oorlog ging verklaren.'

'Dat zal wel. Maar wat heb ik daaraan?' vroeg ik. 'Dat zal haar heus niet op andere gedachten brengen wat betreft mijn schrijftalent... Of het gebrek daaraan. Ze wordt alleen maar bang van mijn vader.'

Lilly schudde haar hoofd.

'Bovendien heb jij een vriendje,' zei ze.

'Dat studeert,' bracht ik haar in herinnering. 'En dat blijkbaar verwacht dat ik...'

'Hou op,' zei Lilly. 'Begin nou niet weer over dat stomme gedoe van Lana. Wanneer dringt het nou eens tot je door dat

Lana niet weet waar ze het over heeft? Heeft zij soms verkering met een student?'

'Nee,' zei ik. 'Maar...'

'Precies. Denk maar eens aan wat er op de muur van het meisjestoilet staat. Dat Lana geen verkering met een student heeft, komt heus niet doordat ze Het niet wil doen.'

Stilzwijgend bleven we daar een poosje over nadenken. Toen zei Lilly: 'Gaan je moeder en meneer G. dit weekend nog naar Indiana?'

'Ja,' zei ik, en ik voegde er snel aan toe: 'Maar er komt geen feestje bij mij thuis, want ik ga logeren in het Plaza.'

'Heb je een kamer voor jezelf?' vroeg Lilly. Toen ik knikte, zei ze: 'Prima.' En vervolgens: 'Hé, dan kunnen we een pyjamafeestje geven.'

Ik keek haar aan alsof ze gek was geworden.

'In het hotel?'

'Tuurlijk,' zei Lilly. 'Hartstikke leuk. We moeten trouwens toch nog aan je spreekvaardigheid werken. We kunnen een proefdebat houden. Wat vind je daarvan?'

'Nou ja, dat zou kunnen,' zei ik.

Al weet ik niet helemaal hoe pap en Grandmère zullen reageren als ik een pyjamafeestje in het Plaza geef.

Maar goed, als Lilly zich daar beter door voelt, is het denk ik wel de moeite waard. Ik wist echt niet dat ze zo over zichzelf dacht. Dat ze niet populair is, bedoel ik. Ik weet wel dat Lilly niet erg populair is. Maar ik wist niet dat zij dat zelf wist, want ze doet altijd alsof ze de koningin van de school is.

Wie had kunnen denken dat dat alleen maar show was?

Nu moeten we hier blijven zitten totdat de bel voor het zesde uur klinkt en we terug kunnen glippen naar beneden om ons weer bij de rest van de leerlingen aan te sluiten. We missen dan wel het Bijzondere Leerlingen Project, maar ik heb mijn brief-

je van mevrouw Lloyd dat ik maandag aan mevrouw Hill kan laten zien. Dus hoeft ze me vandaag niet absent te melden.

Ik weet niet hoe Lilly dit gaat oplossen, maar het lijkt wel alsof het haar niet zo veel kan schelen. Echt hoor, als je erover nadenkt, zou zowel Lilly als Grandmère iedereen een lesje kunnen leren over hoe je je als prinses gedraagt.

En als je er toch over nadenkt, is dat best eng.

Vrijdag 11 september, staatsinrichting

Grondbeginselen van bestuur:

Evolutietheorie
Evolutietheorie van Darwin met betrekking tot bestuur:

1. Gezinsverband
2. Clanverband
3. Stamverband

Groepen die worden gevormd om goederen en diensten te bundelen en te beheren.

Teneinde de onderlinge orde te handhaven en te beschermen tegen gevaren van buitenaf, werden bestuurlijke instituten gevormd.

Wauw. Net zoals de groepjes op school! Echt waar! Zoals er op school groepjes worden gevormd om elkaar tegen gevaar van buitenaf te beschermen. Zoals wij als Nerds een front hebben gevormd om ons te beschermen tegen het getreiter van de Sporters en de Cheerleaders, omdat je als groep minder risico loopt. Dit verklaart helemaal dat:

- De Sk8terboi-groep is ontstaan om zich tegen de Punkers te beschermen
- De Punkers om zich tegen de Theatergroep te beschermen
- De Theatergroep om zich tegen Nerds te beschermen
- De Nerds om zich tegen de Sporters te beschermen
- En de Sporters om zich tegen....

Nou, ik weet eigenlijk niet waartegen de Sporters zich zouden moeten beschermen.

Maar verder is het allemaal wel duidelijk. Daarom bestaan er kliekjes. Darwin had gelijk!

Vrijdag 11 september, algemene natuurwetenschap

Magnetisch veld dat de aarde omringt als gevolg van interne convectiestromingen.

Ontdekt door Van Allen (stralingsgordels)

Stralingszone met deeltjes, waarvan sommige radioactief geladen zijn, afkomstig uit de ruimte en van de zon

Aurora borealis, veroorzaakt door de wisselwerking van geladen deeltjes met de atmosfeer

Beschrijving van Kenny's nieuwe vriendinnetje Heather, volgens Kenny:

1. Heeft natuurlijk blond haar, en hoeft nooit haar haarwortels bij te kleuren.
2. Krijgt alleen maar tienen en zit bij alle bijzondere projecten
3. Kan een handstand achterover maken
4. Doet dat vaak op feestjes
5. En in restaurants
6. Is op haar school in Delaware geweldig populair
7. Komt hem met Thanksgiving opzoeken
8. Heeft haar eigen paard
9. Verspilt nooit haar tijd aan tv-kijken omdat ze het te druk heeft met boeken lezen
10. Heeft geen antwoordapparaat

Dat laatste maakt niets uit, want niemand belt haar op omdat ze geen tv kijkt en dus niets heeft om over te praten.

HUISWERK

Gym: n.v.t.

Wiskunde: oefeningen blz. 42-45

Engels: *Strunk en White*, blz. 55-75

Frans: ???

BLP: ???

Staatsinrichting: Hoe verhoudt de evolutietheorie van Darwin zich tot de bestuurlijke ontwikkeling?

Algemene natuurwetenschappen: paragraaf 2, Eigenschappen van energievelden

Vrijdag 11 september, het Plaza

Grandmère voelde zich zo schuldig dat ik door haar toedoen op school een huilbui had gekregen, dat ze met alle geweld beneden in de Palm thee met me wilde drinken, om het goed te maken.

Natuurlijk wist ik wel dat ze zich niet echt schuldig voelde. Ze is tenslotte Grandmère. En er waren trouwens ook mensen van de pers aanwezig, die foto's probeerden te maken terwijl we scones met slagroom zaten te eten. Dus morgen staat er op de voorpagina een foto van ons met een grote kop erboven van *Samen aan de thee* / EU *dat valt niet mee!* Of EU / *Wat moet je nu?* of zoiets.

Maar het was wel fijn om daar sandwiches zonder korstjes te eten terwijl Grandmère zat te kwekken over hoe ordinair de plastic pompons van Lana waren, en dat onze Propriété du Palace Royale de Genovia-pennen een veel chiquere uitstraling hadden. Ik had namelijk niet geluncht omdat ik de hele tijd met een koude doek op mijn voorhoofd in het kantoortje van mevrouw Lloyd had gezeten.

Grandmère was zo aardig vanwege dat schuldgevoel (aantekening voor mezelf: kan iemand met een borderlinesyndroom zich schuldig voelen? Opzoeken!) dat ik er zomaar uitflapte: 'Grandmère, mogen Lilly, Tina, Shameeka en Ling Su vanavond in mijn kamer een pyjamafeestje houden, zodat we een debat kunnen oefenen?' En toen zei ze heel rustig: 'Natuurlijk, Amelia.'

JEEEEEEEEEEEEEEEEEEEEEEEEEEEEEEEEEMIG!

Ik pakte dus mijn mobieltje om ze allemaal uit te nodigen. Meneer Taylor wilde eerst met Grandmère praten voordat hij Shameeka toestemming wilde geven om te komen, want hij moest er zeker van zijn dat er voldoende toezicht was en zo.

Maar Grandmère handelde dat op een geweldige manier af. Toen ze me de telefoon teruggaf, vroeg meneer Taylor of Samantha nog iets moest meenemen, bijvoorbeeld een popcornpan, of zoiets.

Maar ik zei dat het Plaza alles in huis had wat we wilden.

Het dienstmeisje van Grandmère ging terug naar mijn huis om mijn spullen op te halen en Dikke Louie eten te geven.

Ik hoop dat hij het niet erg vindt in zijn eentje. Het zal wel vreemd voor hem zijn dat Rocky er niet is. Hij is er inmiddels gewend aan geraakt om de melk van Rocky's gezichtje te likken, als een soort avondsnackje.

Aantekening voor mezelf:

Mam bellen zodra het vliegtuig is geland en haar op het hart drukken dat ze Rocky uit de buurt moet houden van:

- Hooimachines
- Koperkopslangen (inheems in Indiana en uiterst giftig)
- Hooivorken
- Zwarte weduwen (hun beet is dodelijk voor kleine kinderen)
- Ongepasteuriseerde melk (salmonella)
- Opies gemakkelijke stoel (Rocky kan daarin bekneld raken en stikken)
- Boerderijdieren (E.coli)
- Omie's tonijn-aardappel-macaroni (die is gewoon goor)
- De kelder (daar kan een ontsnapte gek uit het naburige gekkenhuis zich hebben verstopt)

Vrijdag 11 september, het Plaza, kamer 1620, Tijd??? HEEL LAAT!!!

Jeminee, Long Su heeft op internet een ontzettend coole quiz ontdekt en die meegenomen, en nu kunnen we van alles over onszelf ontdekken!!

QUIZ

Niet vals spelen. Niet spieken... Gewoon de vragen een voor een beantwoorden!

Pak om te beginnen pen en papier. Alleen namen kiezen van mensen die je kent. Ga op je gevoel af. Meteen doen!!!

1. Schrijf eerst de getallen 1 tot en met 11 in een kolom.
2. Bij 1 en 2 mag je een willekeurig getal invullen.
3. Bij 3 en 7 schrijf je de naam van iemand van het andere geslacht.
4. Bij nummer 4, 5 en 6 schrijf je zomaar een naam (bijv. van vrienden of familie).
5. Bij nummer 8, 9, 10 en 11 schrijf je de titel van een liedje.

Doe dit zonder eerst naar de antwoorden te kijken!!!

Antwoorden van Mia Thermopolis:

1. Tien
2. Drie
3. Michael Moscovitz
4. Dikke Louie
5. Lilly Moscovitz

6. Rocky Thermopolis-Giannini
7. Kenny Showalter
8. 'Crazy in Love' – Beyoncé
9. 'Bootylicious'- Destiny's Child
10. 'Belle' – *Belle en het Beest*
11. De titelsong van *Friends*

Antwoorden:

1. Het aantal dat je hier hebt ingevuld (bij 1 en 2) is het aantal mensen dat je over dit spelletje moet vertellen.
2. De persoon die je op 3 hebt ingevuld is degene van wie je houdt.
3. De persoon die op nummer 7 staat vind je wel aardig, maar krijg je geen hoogte van.
4. Op nummer 4 staat de persoon om wie je het meeste geeft.
5. Op nummer 5 staat de persoon die jou het beste kent.
6. Op nummer 6 staat iemand die je geluk brengt.
7. Het liedje op nummer 8 heeft te maken met de persoon op nummer 3.
8. De titel van nummer 9 is het liedje voor de persoon op nummer 7.
9. Het liedje op nummer 10 zegt het meeste over jezelf.
10. Het liedje op nummer 11 laat zien hoe je in het leven staat.

Jemineetje! Dit is te gek!!! Het klopt allemaal!!!

Want Michael is de persoon op wie ik stapelverliefd ben! En Rocky is mijn geluksster! Lilly is de persoon die me het beste kent! En Dikke Louie is de persoon (of kat) om wie ik het meeste geef!

En ik denk niet dat ik ooit iets van Kenny zal begrijpen.

Daarom is 'Bootylicious' een toepasselijk liedje voor hem, want één ding weet ik wel: hier weet hij geen raad mee!

En ik ben absoluut 'Crazy in Love' wat Michael betreft! En de titelsong van *Friends* gaat helemaal over mijn leven: *No one told you life is gonna be this way*. Want niemand heeft me ooit echt gezegd dat ik prinses van Genovia zou worden.

En wat het liedje 'Belle' betreft mag Lilly me nog zo hard uitlachen, maar het is toch een van mijn favoriete liedjes. Mevrouw Martinez zal het waarschijnlijk wel beneden alle peil vinden... Ik bedoel, een zogenaamde schrijfster die een liedje uit een Disney-musical leuk vindt. Maar daar trek ik me niets van aan! Belle en ik hebben een heleboel gemeen: we zitten allebei altijd met onze neus in de boeken (nou ja, het mijne is een dagboek, maar dat maakt niet uit) en iedereen vindt ons raar.

Behalve de mannen die van ons houden.

Dit is echt héél leuk! We hebben zowat álles bij de roomservice besteld. En net plasten we bijna in onze broek van het lachen toen Shameeka begon over hoe we er nou achter moeten komen of Perin een jongen of een meisje is, en Lilly zei dat we maandag in de klas om Perin heen moeten gaan staan en roepen: 'Trek... je... broek... uit! Trek... je... broek... uit!' Want dan konden we het zien.

Zie je het gezicht van mademoiselle Klein al voor je als we dat zouden doen? Ik denk alleen dat dit onder seksuele intimidatie zou vallen. En het zou ook niet zo aardig zijn tegenover Perin, dat arme meisje of die arme jongen.

Dus toen sprongen we met z'n allen op het bed en schreeuwden keihard: 'Trek... je... broek... uit! Trek... je... broek... uit!' Net zo lang totdat ik het écht bijna in mijn broek deed van het lachen.

Zo meteen gaan we een karaokewedstijd doen. Ik zei namelijk dat als we ooit door het land gaan reizen, we een goede act moeten hebben om aan geld voor benzine en zo te komen, net zoals Britney Spears in *Crossroads*. Dus daar gaan we nu meteen mee beginnen.

O, en Michael belde net, maar ik kon niet verstaan wat hij zei, want Tina zat keihard te gillen omdat ik een liefdesbriefje van Boris in haar rugzak had gevonden, en Ling Su was dat hardop aan het voorlezen. Zelfs Lilly moest lachen.

Dit is echt de gááfste avond die ik ooit heb meegemaakt! Behalve natuurlijk de avond van het Niet-Confessionele Winterbal.

En de avond dat Michael en ik naar *Star Wars* keken en hij tegen me zei dat hij verliefd op me was.

En het eindejaarsfeest.

Behalve die dus.

Aantekening voor mezelf: Niet vergeten mam te zeggen dat ze Rocky uit de buurt van Opies pruimtabak moet houden! Nicotine is giftig wanneer baby's dat binnenkrijgen! Dat heb ik bij *Law and Order* gezien!

Lilly, Shameeka, Tina, Ling Su en Mia's lijstje van ontzettend lekkere hunks

1. *Orlando Bloom*, altijd, met of zonder shirt aan.
2. *Boris Pelkowski* (Dit klopt echt niet! Boris hoort helemaal niet op dit lijstje! Maar Lilly en ik werden weggestemd.)
3. *Die leuke jongen uit de laatste film over Mia's leven.* (Hoewel alles in die film nooit in het echt zou kunnen gebeuren, omdat Genovia een vorstendom is en geen

koninkrijk, en het dus niet uitmaakt of de troonopvolger getrouwd is of niet. Bovendien is het zeer onwaarschijnlijk dat Skinner Box ooit een platencontract krijgt, want de meeste leden zijn druk bezig met het behalen van goede tentamencijfers/fiches die je krijgt wanneer je dertig dagen niet hebt gedronken.)

4. *Seth* uit *The OC*.
5. *Harry Potter*, want hoewel hij een jonge tovenaar speelt, wordt hij toch wel een lekker ding.
6. *Jesse Bradford* uit *Swimfan*.
7. *Chad Michael Murray* uit *A Cinderella Story* en *One Tree Hill*. Tjeempie!
8. *Dat vriendje van Samantha* in *Sex and the City*, vooral wanneer hij zich kaal scheert voor haar. (Shameeka kon niet meestemmen omdat ze van haar vader niet naar die serie mag kijken.)
9. *Trent Ford* uit *How to Deal*.
10. *Ramon Riveras*.
11. *Hellboy*. (Hoewel Mia de enige is die Hellboy een hunk vindt, vanwege haar obsessie met tweedimensionale helden.)

Zaterdag 12 september, de Great Lawn in Central Park

Ik ben bekaf. Wáárom moest ik gisterenavond zo nodig iedereen uitnodigen? En wáárom hebben we tot drie uur 's nachts karaoke gezongen?

Maar waar het nu om gaat: wáárom heb ik me door Lilly laten overhalen om een voetbalwedstrijd van het Albert Einstein College bij te wonen?

Het is zo ontzettend saai. Ik heb sport trouwens altijd vreselijk saai gevonden. Mevrouw Potts moest vaak genoeg roepen: 'Een beetje actie, Mia,' als ik weer eens een bal langs me heen liet gaan.

Maar naar sport kijken is zelfs nog saaier dan eraan meedoen. Wanneer je aan een wedstrijd meedoet, heb je tenminste nog van die momenten dat je met klamme handen en bonzend hart denkt: o nee, hè! Die bal komt toch niet mijn richting op? Of wel? O néé, hij komt wél mijn kant op. Wat moet ik doen? Als ik hem probeer tegen te houden, mis ik, en heeft iedereen de pest aan me. Maar als ik hem niet probeer te stoppen, wordt iedereen ook razend.

Maar als je naar een wedstrijd zit te kijken, heb je dat allemaal niet. Dan is het alleen maar... saai. Een saaiheid waar geen eind aan komt.

Toen Lilly me vroeg of ik zaterdag overdag voor haar vrij wilde houden, wist ik niet dat het ging om iets wat met school te maken had. Waarom zou ik in het wéékend iets doen wat met school te maken heeft (afgezien van huiswerk)?

Maar Lilly zegt dat het vanwege de verkiezing van maandag belangrijk is dat ik me op zoveel mogelijk schoolevenementen laat zien. Ze stoot me steeds maar aan en zegt: 'Hou op met dat geschrijf in je dagboek en begeef je onder de mensen.'

Maar ik weet niet of het nu wel zo'n goed idee is om me tijdens een voetbalwedstrijd onder de mensen te begeven om stemmen te winnen. Weet je waarom niet? Omdat het vrijwel zeker is dat iedereen hier voor Lana gaat stemmen.

En waarom ook niet? Moet je zien wat een ingewikkelde cheerleadersprongen ze maakt. Ze is helemaal perfect. Vanbuiten tenminste. Ik weet dat vanbinnen haar ziel zwart als de nacht is. Maar aan de buitenkant... Nou ja, ze heeft een perfecte lach met perfecte tanden zonder spleetjes, en perfecte zijdezachte bruine benen zonder sneetjes van het scheren, en haar haren blijven nooit aan haar lipgloss plakken. Waarom zou iemand op mij stemmen als ze op Lana kunnen stemmen?

Lilly zegt dat ik niet zo stom moet doen, en dat de verkiezing voor schoolvoorzitter geen schoonheidswedstrijd is. Maar waarom wil ze dan dat ik me in haar plaats kandidaat heb gesteld? En waarom ben ik hier dan? Er zijn hier alleen maar Sporters en Cheerleaders. En die gaan echt niet op mij stemmen.

Volgens Lilly gaan ze zeker niet op me stemmen als ik mijn boek niet neerleg en met ze ga praten. Met ze práten!!! Met deze perfecte, populaire mensen!!!

Ze mogen blij zijn als ik niet van ze ga kotsen!

Zaterdag 12 september, drie uur, Ray's Pizza

Nou, dat was dus mooi verspilde tijd.

Maar Lilly vindt van niet. Ze zegt dat deze dag héél leerzaam is geweest. Wat dat ook mag betekenen.

Ik heb trouwens geen idee hoe Lilly daarbij komt, want ze heeft bijna de hele wedstrijd op de tribune achter meneer en mevrouw Weinberger gezeten, om af te luisteren wat die te bespreken hadden met de ouders van Trisha Hayes. Voor zover ik weet heeft ze niet eens naar de wedstrijd gekeken! Ik daarentegen moest de hele tijd maar rondlopen en leerlingen aanspreken die me anders nooit een blik waardig zouden keuren, en zeggen: 'Hoi, we kennen elkaar niet, maar ik ben Mia Thermopolis, prinses van Genovia, en ik ben kandidaat voor het schoolvoorzitterschap.'

Echt hoor. Ik heb me nog nooit zo'n sul gevoeld.

Trouwens, niemand schonk enige aandacht aan me. De wedstrijd was blijkbaar superspannend. We speelden tegen het schoolteam van Trinity, dat ons voetbalteam elk jaar helemaal inmaakt, al zo lang het AEC bestaat.

Maar vandaag niet. Want vandaag kwam het AEC op de proppen met zijn geheime wapen: Ramon Riveras. Het kwam erop neer dat als Ramon de bal had, die min of meer aan zijn voet bleef kleven, behalve wanneer hij hem langs de doelman van Trinity schopte in dat grote ding met een net. Nu heeft het AEC met 4 – 0 van Trinity gewonnen.

Het bleek dat ik gelijk had wat Ramon betrof. Als hij een doelpunt had gemaakt, trok hij zijn shirt uit en zwaaide ermee in de lucht. Ik wil niet roddelen, maar ik zag wel dat mevrouw Weinberger een beetje meer rechtop ging zitten als dat gebeurde.

En natuurlijk rende Lana het veld op en viel hem in de

armen. De laatste keer dat ik haar zag, zat ze op zijn schouders en droeg hij haar rond alsof ze een soort trofee was. Misschien is dat ook wel zo: gratis cheerleader bij het winnen van een wedstrijd voor het AEC.

Ramon mag haar hebben. Misschien houdt hij haar wel genoeg bezig om haar bij mij uit de buurt te houden. Bij mij en mijn 'studentje'.

Dat doet me eraan denken dat ik hierna naar Michaels kamer ga, om kennis te maken met zijn kamergenoot, en om 'bij te praten', want we hebben elkaar al de hele week niet gezien.

Michael zei tenminste dat we dat gingen doen toen hij me te pakken had gekregen. Hij klonk een beetje geïrriteerd omdat ik er nu pas aan had gedacht om mijn mobieltje aan te zetten.

'Wat was er aan de hand toen ik gisteravond belde?' vroeg hij.

'Eh,' zei ik. Ik was net een pretzel aan het kopen bij een van die karretjes in het park. Een heleboel mensen weten dit niet, maar de pretzels die je in New York op straat kunt kopen, bezitten genezende eigenschappen. Echt waar. Ik weet niet wat erin zit, maar als je hoofdpijn hebt of zoiets, is die meteen over zodra je een hap hebt genomen. En toevallig had ik knallende koppijn, omdat ik helemaal niet had geslapen.

'De meisjes waren bij mij,' legde ik uit toen ik mijn eerste hap van mijn warme, hartige pretzel had genomen. 'Om te blijven slapen. Er is alleen niet veel van slapen gekomen.' En ik vertelde hem dat we op bed hadden gesprongen en 'Trek... je ... broek... uit' hadden gegild en dat soort dingen.

Maar Michael vond het blijkbaar helemaal niet grappig. Ik zei natuurlijk niet dat ik later nog 'Milkshake' heb gezongen met de afstandsbediening als microfoon, en een rubber

douchematje als mini-jurkje. Ik wil namelijk niet dat hij denkt dat ik niet goed bij mijn hoofd ben.

'Je hebt een hele hotelsuite voor je alleen,' zei Michael, 'en dan nodig je mijn zus uit.'

'En Shameeka en Tina en Ling Su,' zei ik terwijl ik mosterd van mijn kin veegde. Want je moet wel mosterd op je pretzel doen, anders werken de genezende eigenschappen niet.

'Oké,' zei Michael. 'Kom je hier straks nog naar toe, of hoe zit dat?'

Sommige mensen zouden dit misschien een beetje, nou ja, lomp hebben gevonden. Maar toch was ik behoorlijk opgelucht dat Michael blijkbaar – om de een of andere reden – kwaad op me was, want dat betekende dat hij niet alleen maar dacht aan Het doen. Ik zag er namelijk nogal tegenop om met hem een gesprek te hebben over Het doen, hoewel ik wist dat Tina gelijk heeft en dat we het er binnenkort toch een keer over zullen moeten hebben.

Dus nu eet ik met Lilly een stuk pizza met kaas om een beetje op krachten te komen voordat ik met Lars in de limo stap en naar Michaels studentenflat rijd.

Echt hoor, na een avondje feesten valt het beslist niet mee om de volgende dag goed te functioneren. Ik snap niet hoe die zusjes Hilton dat doen.

Lilly zegt dat we de verkiezing in onze zak hebben. Ik weet absoluut niet waar ze het over heeft, want:

A) We zijn gisteravond nooit aan dat oefendebat toegekomen, dus heb ik niet de kans gekregen om voor maandag te oefenen, en
B) De meeste leerlingen die ik tijdens de wedstrijd aansprak, keken me aan alsof ik niet goed snik was en zeiden: 'Ik stem op Lana, mens.'

Maar ja, Lilly heeft de hele wedstrijd bij de óúders gezeten, dus weet zij veel.

Ik zou willen dat ik haar iets kon vragen over Het doen. Ik bedoel, Lilly heeft Het ook nog nooit gedaan... Tenminste, ik denk van niet. Met haar laatste vriendje heeft ze alleen maar een beetje gefriemeld.

Toch weet ik bijna zeker dat ze wel een waardevolle kijk op deze materie heeft.

Maar ik kan niet met Lilly praten over Het doen of Het niet doen, omdat het om haar broer gaat! Dat is ranzig. Als een meisje met mij zou willen praten over Het doen met Rocky, zou ik haar waarschijnlijk een knal voor haar kop geven. Maar dat komt doordat hij mijn jóngere broertje is en nog maar vier maanden oud.

Trouwens, ik weet wel zo ongeveer wat Lilly zou zeggen: doen!

Wat voor Lilly reuze makkelijk praten is, omdat ze totaal niet met haar lichaam zit. Ze verkleedt zich met gym niet zo snel mogelijk en in het donkerste, leegste hoekje, zoals ik. Ze liep zelfs een keer helemaal naakt door de kleedkamer, en vroeg toen: 'Kan ik van iemand deodorant lenen?' En de opmerkingen van Lana en haar vriendinnen over Lilly's buikje en cellulitis kunnen haar geen fluit schelen.

Niet dat ik bang ben dat Michael opmerkingen over mijn naakte lichaam zal maken. Ik weet alleen niet of ik wel wil dat hij er iets van te zien krijgt.

Terwijl ik het helemaal niet erg zou vinden om zíjn lichaam te zien.

Dat zal wel betekenen dat ik geremd ben en preuts, en een seksist; dat soort vreselijke dingen. Waarschijnlijk verdien ik het niet om schoolvoorzitter van het AEC te worden, zelfs niet een paar dagen totdat ik terugtreed en Lilly het overneemt. En

ik verdien het ook niet om een prinses te zijn van een land dat door mijn schuld uit de EU wordt gegooid... Als het zover komt, tenminste.

Echt hoor, ik verdien eigenlijk helemaal niks.

Nou, ik denk dat ik nu maar eens naar Michael ga.

Kan iemand me overhoop schieten?

Zaterdag 12 september 5 uur, studentenflat van Michael, de badkamer

Zo, en ik dacht nog wel dat het zo moeilijk was om op Columbia te komen. Ik ging ervan uit dat iedereen die hier wilde komen studeren eerst helemaal werd gescreend.

Dus waarom laten ze dan gekken als Michaels kamergenoot toe?

Er was niks aan de hand totdat *hij* kwam. Lars en ik belden Michael vanuit de lobby van Engle Hall, Michaels studentenflat, en toen kwam Michael naar beneden om ons in te schrijven. Op Columbia University wordt de veiligheid van de studenten behoorlijk serieus genomen (helaas nemen ze het niet zo nauw met de veiligheid van de bezoekers!). Ik moest mijn schoolpasje inleveren bij de balie, zodat ik niet weg kon gaan zonder me uit te schrijven. Lars kreeg het verzoek zijn wapenvergunning af te geven (maar ze vonden het wel goed dat hij zijn wapen bij zich hield omdat ik de prinses van Genovia ben en hij mijn bodyguard is).

Toen we ons hadden ingeschreven, nam Michael ons mee naar boven. Ik was natuurlijk wel eens in Engle Hall geweest, namelijk op de dag dat hij verhuisde, maar het zag er nu totaal anders uit zonder al die steekkarretjes en ouders. Er renden allemaal schreeuwende mensen door de gang met alleen maar een handdoek om, net als in *Gilmore Girls*! En uit sommige openstaande deuren kwam keiharde muziek. Overal hingen posters met oproepen om deel te nemen aan de een of andere protestmars, en uitnodigingen voor poëzievoordrachten in een aantal buurtcafés. Allemaal heel universiteitachtig.

Michael was blijkbaar niet meer boos op me, want hij gaf me een heel lieve kus, waardoor ik in zijn nek kon ruiken en ik me meteen een stuk beter voelde. Wat genezende eigenschap-

pen betreft is Michaels hals bijna net zo goed als een New Yorkse pretzel.

Maar goed, het lukte ons om Lars te dumpen in de studentenhuiskamer op Michaels verdieping, want er was een honkbalwedstrijd op de grote tv die daar staat. Je zou denken dat Lars wel even genoeg had gezien op dat gebied, omdat we ongeveer drie uur lang naar een sportevenement hebben zitten kijken, maar ja. Hij wierp één blik op de stand (het was gelijkspel) en zat meteen aan de buis gekluisterd, samen met een paar andere studenten die net als hij met open mond zaten te kijken.

Michael liep voor me uit naar zijn kamer, die er een stuk beter uitzag dan toen hij net was verhuisd. Eén muur was helemaal bedekt met een kaart van de Melkweg, en er stond meer computerapparatuur dan bij NORAD. Vrijwel de hele kamer (behalve de bedden dan) werd erdoor in beslag genomen. Verder hing er aan het plafond een bord met: PARKEREN TEN STRENGSTE VERBODEN, waarvan Michael me bezwoer dat hij dat echt niet van straat had gepikt.

Michaels kant van de kamer is erg netjes; er ligt een donkerblauw dekbed op zijn bed, en een kleine ijskast doet dienst als nachtkastje. Overal liggen cd's en boeken.

De andere helft van de kamer is wat minder netjes, met een rood dekbed en een magnetron in plaats van een ijskast, met overal dvd's en boeken.

Voordat ik de kans kreeg om te vragen waar Doo Pak was en wanneer ik hem te zien zou krijgen, trok Michael me naast zich op zijn bed. Na een week gescheiden te zijn geweest, moesten we elkaar echt weer even leren kennen, maar toen ging plotseling de deur open en kwam er een Koreaanse jongen met een bril binnen.

'O, hoi, Doo Pak,' zei Michael heel terloops. 'Dit is mijn vriendinnetje Mia. Mia, dit is Doo Pak.'

Ik stak mijn hand uit en wierp Doo Pak mijn beste prinsessenglimlach toe.

Maar Doo Pak pakte mijn hand niet. In plaats daarvan keek hij heel snel van mij naar Michael. Toen begon hij te lachen en zei: 'Ha ha, wat een goeie grap! Zeg, hoeveel krijg je nou om me voor de mal te houden?'

Toen ik Michael beduusd aankeek, zei hij: 'Eh, Doo Pak, ik maak geen grapje. Dit is echt mijn vriendinnetje.'

Doo Pak bleef maar lachen en zei: 'Jullie Amerikanen maken altijd grappen! Hou nou maar op, hoor!'

Dus toen deed ik maar een poging.

'Eh,' zei ik. 'Doo Pak, ik ben echt Michaels vriendinnetje. Ik heet Mia Thermopolis. Leuk om kennis met je te maken. Ik heb veel over je gehoord.'

Waarop Doo Pak zo begon te brullen van het lachen dat hij helemaal dubbelgeklapt op bed viel.

'Nee,' zei hij, en hij schudde zijn hoofd terwijl de tranen van het lachen over zijn wangen liepen. 'Nee, nee. Dit kan niet. Jíj,' – hij wees naar mij – 'gaat echt niet met hém.' En hij wees naar Michael.

Michael keek intussen een beetje geërgerd.

'Doo Pak,' zei hij, met de soort dreiging in zijn stem die ik ook wel eens hoor wanneer Lilly hem pest met zijn voorliefde voor *Star Trek: Enterprise*.

'Echt waar,' zei ik tegen Doo Pak, hoewel ik geen flauw idee had wat er nou zo grappig was. 'Michael en ik gaan al negen maanden met elkaar. Ik zit op het Albert Einstein College, even verderop, en ik woon met mijn moeder en stiefvader in de Vill...'

'Houd nu maar even je mond, alsjeblieft,' zei Doo Pak. Hij zei het nogal beleefd, moet ik zeggen. Maar het blijft raar dat iemand tegen je zegt dat je je mond moet houden. En zeker

omdat Doo Pak me de rug toedraaide en tegen Michael begon te praten op een indringende, zachte toon en Michael net zo zacht maar wel geërgerd antwoord gaf.

En het is echt vreemd om in een kamer te zijn met mensen die op indringende en zachte toon met elkaar aan het praten zijn, en je niet kunt horen wat ze zeggen. Dus ben ik hier maar naartoe gegaan, want dan hebben ze tenminste een beetje privacy.

Ik hoor Doo Pak nog steeds heel indringend tegen Michael fluisteren. Gelukkig fluistert Michael niet meer, dus kan ik in elk geval horen wat *hij* zegt.

'Doo Pak, ik heb je toch gezegd wie ze is,' zei hij. 'Ze is écht mijn vriendinnetje. Je wordt niet voor de gek gehouden.'

De badkamer is trouwens behoorlijk schoon voor jongens. Er is hier niets wat ik niet durf aan te raken. Ik zie dat ze het gebruikelijke latex douchegordijn hebben vervangen door eentje met een wereldkaart erop. Dat is denk ik voor Doo Pak gedaan, want die zal vast wel heimwee hebben. En nu kan hij wanneer hij onder de douche staat steeds naar zijn geboorteland kijken.

O, Doo Pak fluistert nu ook niet meer. Ze denken vast dat ik doof ben.

'Maar ik snap het niet, Mike,' zegt Doo Pak.

Mike??? 'Waarom zou zij met jóú gaan?'

Ik begin het een beetje te begrijpen. Doo Pak heeft me vast herkend. Ik ben natuurlijk de laatste tijd behoorlijk vaak in het nieuws geweest, vanwege die slakkenkwestie en de verkiezing en zo. Misschien kan hij zich helemaal niet voorstellen dat Michael verkering heeft met een prinses.

Dat kan ik hem niet kwalijk nemen. Er is niks slomers dan prinses zijn. Geen wonder dat Michael hem niet van tevoren heeft gewaarschuwd. Hij vindt het vast vreselijk gênant om

tegenover zijn medestudenten te bekennen dat hij niet alleen met een schoolmeisje omgaat, maar dat ze ook nog prinsés is.

Arme Michael. Ik heb nooit geweten dat mensen hem er ook echt mee plaagden dat hij een vriendinnetje heeft dat van koninklijken bloede is. Daar komt nog bij dat het een vriendinnetje met een bodyguard is, en dat ze geen borsten heeft, plus een babylikker is. Daardoor is het des te uitzonderlijker dat Michael iets voor me voelt.

O, ze zijn opgehouden met praten. Misschien kan ik nu wel weer naar buiten komen.

Zaterdag 12 september, 7 uur, mensa (212)

Ik moet dit snel opschrijven, want Michael is net opgestaan om de rekening te betalen. Gelukkig staat er een geweldig lange rij voor de kassa – het is hier stampvol – dus zal het wel even duren.

Maar goed. Ik ben erachter waarom Doo Pak dacht dat Michael hem ermee voor de gek hield dat ik zijn vriendinnetje ben. En het had niets te maken met het feit dat ik een prinses ben. Het heeft ermee te maken dat Doo Pak denkt dat ik te móói ben voor Michael.

Ik maak echt geen grapje. Doo Pak heeft het zelf gezegd toen ik uit de badkamer kwam. Hij keek alsof hij zich diep schaamde. 'Neem me niet kwalijk dat ik je niet geloofde toen Michael zei dat je zijn vriendinnetje bent,' zei hij uit zichzelf, zonder dat Michael hem hoefde aan te stoten of zoiets. 'Weet je,' ging hij op dezelfde verontschuldigende toon verder, 'je bent veel te mooi om verkering met Mike te hebben. Hij is, hoe moet ik het zeggen? O ja, een nerd, net als ik. En nerds zoals hij en ik krijgen nooit van die mooie vriendinnetjes. Ik dacht dat hij me in de maling nam. Aanvaard alsjeblieft mijn nederige excuses voor mijn fout.'

Ik keek Michael en Doo Pak aan om te zien of ze mij nu in de maling namen, maar ik zag aan Doo Paks rode, beschaamde gezicht en Michaels nog rodere en nog beschaamdere gezicht dat Doo Pak de waarheid sprak. Hij vindt me te móói om verkering met Michael te hebben!!! Nou ja!!!

Ze hebben in Korea zeker heel andere opvattingen over schoonheid dan hier in de VS.

En waar Doo Pak vandaan komt, krijgen jongens die de hele dag met computers in de weer zijn gewoon geen vriendinnetje. Helemaal niet dus.

Misschien tekenen ze ze daarom wel altijd. Je weet wel, zoals bij anime en manga.

Maar toen legde ik Doo Pak uit dat nerds in Amerika juist heel erg in zijn, en dat de meeste verstandige meisjes liever een nerd hebben dan van die snelle of sportieve types.

Doo Pak keek alsof hij me bijna niet durfde te geloven, maar ik wees hem erop dat Bill Gates, in feite de koning van de nerds, getrouwd is. En dat leek hem een beetje te overtuigen. Hij schudde me de hand en vroeg opgewonden of ik niet een keer mijn vriendinnen mee kon brengen om ze kennis te laten maken met de andere jongens op de verdieping.

Ik zei dat ik zeker mijn best zou doen.

Toen zei Doo Pak dat hij nog naar de computerwinkel moest om de nieuwste versie van Myst te kopen. Zodra hij weg was, zei Michael geërgerd dat het hem speet dat ze eerstejaars geen eenpersoonskamers geven, en dat ze met iemand een kamer moeten delen.

Er schiet me opeens te binnen dat ik iets in de badkamer had gezien, vlak voordat ik weer naar buiten kwam. Iets wat nú pas tot me doordringt. Iets wat voor eeuwig in mijn hersenweefsel gegrift zal blijven:

Er ligt een pakje condooms in het medicijnkastje van Doo Pak en Michael!

Echt waar. Ik heb het gezien. Jemig, ik heb het echt gezien!

Wat heeft dat te betekenen? Doo Pak doet Het duidelijk niet met iemand. Ik bedoel, hij heeft gezegd dat hij nog nooit een vriendinnetje heeft gehad.

Dus van wíé zijn die condooms???

Oeps, 'Mike' komt eraan...

Zondag 13 september, in de limousine op weg naar het Plaza

Jemig, jemig, jemig. O, jeetje. Ik moet rustig ademhalen. Echt. Zoals die ene keer bij yoga. In. Uit. In. Uit.

Oké, het lukt me wel. Ik kan dit opschrijven. Ik kan dit gewoon op papier zetten, net zoals alle andere kleine dingen die me overkomen, en dan komt het allemaal goed. Het móét goed komen. Het moet gewoon.

We hebben het gedaan

We hebben een Goed Gesprek gehad.

Michael wil dat we seks hebben...

... ooit.

Zo, ik heb het opgeschreven.

Jeminee, wat moet ik doen? Hoe kan Lana nou gelijk hebben? Lana heeft nog nooit gelijk gehad. Ik kan me nog herinneren dat ze zei dat je trommelvlies knapt als je bij het niezen je neus dichthoudt. En nog zoiets: 'Wanneer je doucht als je ongesteld bent, kun je doodbloeden.' En afgelopen jaar kreeg ze een paar mensen gek met de bewering: aspirines + cola light = gat in je maag.

En dat blijkt dus helemaal niet waar te zijn

Waarom moet ze dan uitgerekend híérin gelijk hebben?

Studenten verwachten inderdaad dat hun vriendinnetjes Het doen. Tenminste, uiteindelijk. Michael was echt heel lief en begripvol, hoor, en hij voelde zich bijna net zo opgelaten als ik. En hij gaat het ook niet uitmaken als we Het bijvoorbeeld, laten we zeggen, morgen niet doen.

Maar hij is echt wel geïnteresseerd in Het doen.

Ooit.

AAAAAAAAAAAAAAAAAARGH!!!!!

Ik had het kunnen weten, natuurlijk. Want echte mannen

– ook de tweedimensionale, zoals Wolverine uit *X-Men*, en het Beest uit *Belle en het Beest*, en zelfs Hellboy – willen Het allemaal doen. Ze kunnen daarbij reuze beleefd overkomen. Zoals Wolverine die met Jean Gray in een geestig gesprek is gewikkeld terwijl hij toestaat dat de Cyclopen haar helemaal aflebberen.

En het Beest mag dan met Belle de balzaal rondzwieren alsof hij alleen maar denkt aan de vierkwartsmaat, maar we kunnen er niet omheen dat uiteindelijk, diep vanbinnen, álle jongens Het willen doen.

Ik weet niet waarom ik dacht dat Michael anders zou zijn. Ik bedoel maar, ik heb toch *Real genius* en *Revenge of the Nerds* gezien. Ik had heel goed kunnen weten dat zelfs slimme jongens van seks houden. Of ervan zouden houden wanneer ze iemand konden vinden die Het met hen wilde doen.

En we hebben allebei geen godsdienst die verbiedt om Het te doen voordat je bent getrouwd. Nou ja, Michael is wel joods, maar ook weer niet zó joods. Hij eet altijd broodjes met bacon, sla en tomaat.

Maar toch, seks. Dat is een héle grote stap.

Dat zei ik tegen Michael toen we vanavond op zijn kamer zaten te zoenen. Niet dat hij te ver ging of zo. Dat heeft hij nog nooit gedaan, al weet ik nu dat hij dat wel zou willen. Alleen is er gewoon altijd iemand in de buurt. Behalve vanavond, want Lars zat aan de tv gekluisterd in de huiskamer met de andere sportfanaten. En Doo Pak was naar de bibliotheek om te kijken of hij een meisje kon vinden dat zat te wachten op een nerd-voor-de-nacht.

Maar toen we na het eten thuiskwamen, zette Michael Roxy Music op en trok me naast zich op het bed. We zaten een beetje te zoenen en zo, maar ik kon aan niets anders denken dan: er liggen condooms in zijn medicijnkastje en: studenten ver-

wachten van hun vriendinnetje dat ze Het doet, en: Wendell Jenkins en de Maïsprinses. Daardoor kon ik me niet meer concentreren op het zoenen, dus schoof ik een eindje weg en zei: 'Ik ben nog niet aan seks toe.'

En ik moet zeggen dat hem dat heel erg leek te verbazen.

Niet dat ik er niet aan toe was, maar dat ik het zomaar zei.

Maar hij zette zich er nogal snel overheen, want hij knipperde een paar keer met zijn ogen en zei: 'Oké,' en ging toen gewoon weer verder met zoenen.

Toch was ik niet helemaal gerustgesteld, want ik wist niet of hij wel had gehoord wat ik zei. En bovendien had Tina gezegd dat Michael en ik hierover echt dringend een Goed Gesprek moesten hebben. Ik dacht bij mezelf dat als zij het met Boris kan, ik ook met Michael zou moeten kunnen praten.

Dus duwde ik hem weer weg en zei: 'Michael, ik moet met je praten.'

Hij keek me totaal verbouwereerd aan en zei: 'Waarover?'

En ik zei, hoewel dit het moeilijkste was wat ik ooit heb gedaan, moeilijker dan die keer dat ik het Genoviaanse parlement moest toespreken over de parkeermetercrisis: 'De condooms in je medicijnkastje.'

En hij antwoordde: 'De wát?' en zijn blik was helemaal wazig en draaierig. Toen leek hij het zich te herinneren. 'O ja, die. Die heeft iedereen gekregen. Toen we hier introkken. Ze zaten in het welkomstpakket dat iedereen kreeg bij het inchecken.'

En toen werd zijn blik heel scherp – als een laserstraal – en hij keek me met die blik aan en zei: 'Maar al had ik ze gekocht, wat dan nog? Er is toch niets mis mee dat ik om je geef en je wil beschermen voor het geval dat we zouden vrijen?'

Waardoor ik me natuurlijk helemaal voelde smelten, en ik het héél moeilijk vond om eraan te denken dat we een Goed

Gesprek moesten hebben, en niet moesten gaan zitten zoenen, zeker niet toen tot me doordrong dat Michaels nek heel lekker ruikt, maar dat de rest van hem misschien nog wel lekkerder ruikt.

En daarom wist ik dat we maar beter konden opschieten met dat Goede Gesprek.

'Nee,' zei ik, en ik haalde zijn hand van de mijne af omdat ik wist dat ik me nog moeilijker op het Goede Gesprek zou kunnen concentreren als hij me aanraakte. 'Nee, ik denk dat dat heel goed is. Alleen...'

En toen gooide ik het er allemaal uit. Wat Lana in de rij had gezegd. Wendell Jenkins. Wat Lana onder de douche had gezegd (maar niet over dat ophopen. Dat was te ranzig.) Maïsprinses. Dat ik van hem houd, maar dat ik niet zeker weet of ik er wel aan toe ben om Het te doen (ik zei wel dat ik het niet zeker wist, maar ik weet het natuurlijk wél zeker). Dat condooms kunnen scheuren (als dat bij *Friends* gebeurt, kan het ook in het echt). Dat mijn moeder zo ontzettend vruchtbaar is. Alles.

Want als je een Goed Gesprek hebt, moet je alles op tafel gooien, wat heeft het anders voor zin?

Nou ja, bijna alles. Ik zei maar niet dat ik nogal wat bezwaren heb tegen naakt. Tenminste, als *ík* naakt moet. Van hem zou ik het prima vinden. En bovendien ziet seks er op tv nogal... ingewikkeld uit. Als ik het nou verpruts? Of als blijkt dat ik het helemaal niet kan? Dan dumpt hij me misschien wel.

Maar dat zei ik dus allemaal niet.

Michael hoorde alles wat ik zei met een ernstig gezicht aan. Op een gegeven moment stond hij zelfs op om de muziek zachter te zetten. Pas toen ik erover begon dat ik niet zeker wist of ik er wel aan toe was, deed hij zijn mond open. 'Nou, dat verbaast me eigenlijk helemaal niets, Mia,' zei hij nogal droog.

Wat mij dan weer wel verbaasde.

Toen ik zei: 'Echt niet?' ging hij verder: 'Nou, je hebt duidelijk laten merken hoe het ervoor stond door je vriendinnen uit te nodigen en niet mij, toen je wist dat je het weekend een hotelkamer tot je beschikking had.'

Hallo! Dat klopt helemaal niet. Ten eerste hadden Lilly en de anderen zichzelf uitgenodigd. En ten tweede...

Nou ja, eigenlijk had hij wel gelijk.

'Michael,' zei ik, en ik voelde me echt vreselijk. 'Wat erg. Ik heb daar niet eens... Ik bedoel... Ik heb niet eens...'

Ik voelde me zó ellendig dat ik niet uit mijn woorden kon komen. Ik voelde me een complete idioot. Bijna net zoals die keer toen Michael onder het eten vertelde over zijn college over de sociologische aspecten in sciencefiction, en dat in 1984 van George Orwell de Loterij gebruikt wordt om de massa zoet te houden en de mensen de valse hoop te geven dat ze op een dag hun geestdodende werk kunnen neerleggen. En dat in *Fahrenheit* 451 de vrouw van Montag het niks kan schelen dat haar man er problemen mee heeft dat hij voor zijn beroep boeken moet verbranden, en de hele tijd met haar vriendinnen aan de telefoon zit te kletsen over een niet bestaand tv-programma dat *Witte Clown* heet. Ik moest er toen wel aan denken dat Lilly, Tina en ik het heel vaak over *Charmed* hebben.

Maar hallo, hoe kun je het nou níét over die serie hebben?

Maar misschien is dat wel een strategie van de regering om te voorkomen dat we in de gaten krijgen dat ze alle bossen aan het kappen zijn en wetten aannemen die ervoor zorgen dat tieners niet zonder toestemming van hun ouders over voorbehoedmiddelen kunnen beschikken...

Bovendien denk ik wel eens dat Michael ook nooit ophoudt met het praten over de programma's die hij goed vindt, zoals 24, en de laatste tijd *60 minutes*.

Ik deed dus mijn best om het goed te maken dat ik Michael niet in het hotel had uitgenodigd. Ik legde mijn hand op de zijne, keek hem diep in de ogen en zei: 'Michael, het spijt met echt. Niet alleen dat, maar de hele... Nou ja, alles.'

Maar in plaats van te zeggen dat hij me vergaf, zei Michael: 'Goed. De vraag is, wanneer ben je er dan wél aan toe?'

'Waar aan toe?' vroeg ik.

'Het,' zei hij.

Het duurde eventjes voordat ik wist wat hij bedoelde.

En toen het eindelijk tot me doordrong, werd ik knalrood.

'Eh,' zei ik.

Toen dacht ik snel na.

'Wat vind je van na het schoolbal?' zei ik. 'In het Four Seasons, in een kingsize bed met satijnen lakens, in de luxe suite met uitzicht op Central Park, met champagne en aardbeien in chocola bij binnenkomst, een bad met aromatherapie na afloop, en dan de volgende morgen wafels voor twee personen op bed?'

Hierop antwoordde Michael heel rustig: 'Ten eerste ga ik nooit meer naar het schoolbal, en dat weet je, en ten tweede kan ik me het Four Seasons niet veroorloven, en dat weet je ook. Dus waarom verzin je niet iets anders?'

Verdorie! Tina is zó'n bofkont dat ze een vriendje heeft dat ze alle kanten op kan krijgen. Waarom is Michael niet zo plooibaar als Boris?

'Luister,' zei ik, en ik probeerde wanhopig iets te bedenken waarmee ik me uit deze hele situatie kon redden. Want het ging helemáál niet zoals ik me had voorgesteld. Ik had in gedachten dat wanneer ik tegen Michael zei dat ik er nog niet aan toe was om Het te doen, hij zou zeggen: oké. En dan speelden we nog een spelletje Boggle, en dat was het dan.

Jammer dat dingen nooit gaan zoals ik ze in gedachten heb.

'Moet ik dat nú zeggen?' vroeg ik, met het idee dat tijd rekken op dit punt de beste strategie was. 'Ik heb al zó veel aan mijn hoofd. Ik bedoel, het zou best kunnen dat mijn moeder nu bezig is Rocky bloot te stellen aan een aantal zeer schadelijke prikkels, zoals klompendansen, en misschien wel boerencake. En maandag heb ik ook nog dat debat... Heb ik je trouwens al verteld dat Grandmère en Lilly daar samen mee bezig zijn? Het lijkt wel alsof Darth Vader zijn krachten heeft gebundeld met Ann Coulter, maar dan linkser. Ik ben echt een wrak, hoor. Mag ik hier niet later op terugkomen?'

'Natuurlijk,' zei Michael, met zo'n ontzettend lieve glimlach dat ik me naar hem toe wilde buigen om hem te zoenen...

Maar toen zei hij: 'Als je maar weet, Mia, dat ik niet eeuwig blijf wachten.'

Ik was net met mijn lippen op weg naar zijn mond, maar hierdoor bleef ik steken.

Omdat hij niet bedoelde dat hij niet eeuwig bleef wachten op mijn antwoord. Nee hoor. Hij bedoelde dat hij niet eeuwig bleef wachten om Het te doen.

Hij zei het niet alsof het een dreigement was. Hij zei het nogal opgewekt, alsof hij een grapje maakte.

Maar ik merkte dat het niet echt een grapje was. Omdat jongens écht van je verwachten dat je Het doet. Ooit.

Ik wist niet wat ik moest zeggen. Eigenlijk kon ik niets meer zeggen, al had ik het geprobeerd. Gelukkig hoefde dat niet, want er werd op de deur geklopt en Lars riep: 'De wedstrijd is afgelopen. Het is al over twaalven. Tijd om te gaan, prinses.' Hierdoor sprongen Michael en ik op en gingen allebei aan een ander kant van de kamer zitten.

(Ik heb net aan Lars gevraagd hoe het komt dat hij altijd precies op het verkeerde – of in dit geval het juiste – moment komt storen als ik samen met Michael ben. 'Zolang ik stemmen

hoor, maak ik me geen zorgen. Alleen als het stil wordt, begin ik me af te vragen wat er aan de hand is. Want, en hier bedoel ik niets mee, hoogheid, u praat nogal véél.')

Maar goed. Dat was dat.

Lana had gelijk.

Alle jongens willen Het doen.

Inclusief Michael.

Mijn leven is voorbij.

Einde

Aantekening voor mezelf: Mam bellen en haar eraan herinneren dat ze nog steeds borstvoeding geeft en dat ze misschien wel een heleboel gin-tonics wil drinken omdat ze bij haar moeder is, maar dat dit op Rocky's leeftijd heel schadelijk kan zijn voor zijn geestelijke ontwikkeling.

Zondag 13 september, middag, mijn kamer in het Plaza

Waarom kan ik niet net zo'n leven hebben als die tieners op MTV? Dat zijn geen van allen prinsessen. En niet eentje heeft ecologische rampen veroorzaakt door in haar geboorteland duizenden slakken in de plaatselijke baai te gooien. En niemand heeft een vriendje dat verwacht dat je Het een keer gaat doen. Nou ja, sommigen wel.

Maar toch. Alles is heel anders als je op tv bent.

Zondag 13 september, 1 uur, mijn kamer in het Plaza

Waarom laten ze me niet met rust? Als ik wil zwelgen in mijn verdriet is dat mijn eigen zaak. Ik ben tenslotte prinses.

Zondag 13 september, 2 uur, mijn kamer, in het Plaza

Ik zou nu zó graag met Michael willen praten. Hij heeft me gebeld, maar ik heb niet opgenomen. Hij heeft een boodschap achtergelaten bij de telefonist van het hotel: 'Hé, met mij. Ben je daar of ben je al naar huis? Ik probeer het daar ook nog. Nou ja, als je deze boodschap krijgt, bel me dan.'

Ja hoor. Hem bellen. Zodat hij het kan uitmaken omdat ik aarzel Het met hem te doen. Die voldoening gun ik hem niet.

Ik probeerde Lilly te bellen, maar ze is niet thuis. Mevrouw Moscovitz zei dat ze geen idee had waar haar dochter was, maar mocht ik haar spreken, dan moest ik zeggen dat ze Pavlov uit moest laten.

Ik hoop dat Lilly niet weer stiekem door de ramen van het Heilig Hart-klooster aan het filmen is. Ik weet dat ze ervan overtuigd is dat die nonnen een illegaal metamfetaminefa-briekje hebben, maar het was laatst behoorlijk gênant toen ze een stuk film naar het politiebureau had gestuurd en achteraf bleek dat het opnames waren van de nonnen die bingo aan het spelen waren.

O, een marathon van *Sailor Moon*.

Sailor Moon heeft zó geboft dat ze een tekenfilmfiguur is. Als ik een tekenfilmfiguur was, zou ik zeker nooit de proble-men hebben die ik nu heb.

En ook al zou dat wel zo zijn, dan zou aan het einde van de aflevering alles weer goed komen.

Zondag 13 september, 3 uur, mijn kamer in het Plaza

Oké, dit is gewoon een schending van mijn recht op privacy. Als ik de hele dag in bed wil zwelgen in mijn verdriet, dan moet dat kunnen. Als zíj dat zou willen, en ík kwam haar kamer binnen om te zeggen dat ze moest ophouden medelijden met zichzelf te hebben, en tegen haar ging zitten kakelen, dan kun je er vergif op innemen dat ze dat nooit zou pikken. Ze zou me gewoon een cocktail in mijn gezicht smijten, of zoiets.

Maar zij mag dat blijkbaar allemaal wel. Mijn kamer binnen stormen, bedoel ik, en dan zeggen dat ik moet ophouden medelijden met mezelf te hebben.

En nu zwaait ze met een gouden ketting voor mijn neus, met een hanger die zo groot is als de kop van Dikke Louie. De hanger is bezaaid met juwelen. Hij ziet eruit als een ding dat 50 Cent om zou kunnen hebben als hij op zijn vrije avond gaat sporten of uitgaat met zijn maten of zoiets.

'Weet je wat dit is, Amelia?' vroeg Grandmère.

'Als u me probeert te hypnotiseren om me van het nagelbijten af te helpen, Grandmère,' zei ik, 'dan lukt dat toch niet. Dat heeft meneer Moscovitz al geprobeerd.'

Grandmère sloeg daar geen acht op.

'Wat je hier ziet, Amelia, is een uiterst kostbaar kunstvoorwerp uit de geschiedenis van Genovia. Het heeft toebehoord aan je naamgenote, de heilige Amelia, de geliefde patroonheilige van Genovia.'

'Eh, sorry, Grandmère,' zei ik. 'Maar ik ben vernoemd naar Amelia Earhart, de vermaarde vliegenierster.'

Grandmère snoof misprijzend. 'Geen sprake van,' zei ze. 'Je bent vernoemd naar de heilige Amelia en naar niemand anders.'

'Maar eh, Grandmère,' zei ik. 'Mijn moeder heeft me toch echt verteld dat...'

'Kan me niet schelen wat die moeder van je heeft verteld,' zei Grandmère. 'Je bent vernoemd naar de patroonheilige van Genovia, klaar uit. De heilige Amelia werd in het jaar 1070 geboren. Het was een eenvoudig boerenmeiske, dat zich met hart en ziel wijdde aan het hoeden van een kudde Genoviaanse geiten die toebehoorde aan haar familie. Onder het hoeden van haar vaders kudde zong ze dikwijls een oud Genoviaans volkswijsje. Er werd gezegd dat ze de mooiste en meest melodieuze stem ter wereld had, veel beter dan die van dat afgrijselijke mens Christina Aguilera, op wie jij zo gek bent.'

Zeg, hallo. Wat weet Grandmère daar nou van? Leefde ze soms al in het jaar 1070? Trouwens, Christina heeft een bereik van zeven octaven. Of iets dergelijks.

'Toen Amelia veertien jaar was,' ging Grandmère verder, 'bevond ze zich op een mooie dag met de kudde bij de Italiaans-Genoviaanse grens. Aan het zicht onttrokken door het struweel bespeurde ze een Italiaanse graaf in gezelschap van een huurlingenleger dat hij had meegevoerd vanuit zijn naburige kasteel. Lichtvoetig, net zoals de haar zo dierbare geitjes begaf Amelia zich in hun richting en wist het geboefte zo dicht te naderen dat ze achter de ijselijke plannen kwam jegens haar geliefde land. Ze hoorde dat de graaf zodra de duisternis viel, het paleis van Genovia zou overvallen en dat tezamen met zijn bewoners wilde inlijven bij zijn eigen, reeds omvangrijke bezit.

Rap van geest als Amelia was, haastte zij zich onmiddellijk terug naar de kudde. De zon neeg al ter kimme, en Amelia wist dat ze niet op tijd in haar dorp zou terugkeren om de bewoners van de snode plannen van de graaf op te hoogte te stellen, want dan zou hij met zijn leger reeds in beweging zijn gekomen. In plaats daarvan begon zij een van haar droeve liedjes te zingen,

terwijl ze net deed alsof ze onkundig was van de horde gehar-de soldaten een paar heuvels verderop.

En toen gebeurde er een wonder,' vervolgde Grandmère. 'Een voor een dommelden de weerzinwekkende huurlingen in, in slaap gewiegd door Amelia's melodieuze stem. En toen dan eindelijk ook de graaf in diepe slaap was verzonken, repte ze zich naar hem toe. Ze pakte het bijltje waarmee ze gewoonlijk de bramenranken loshakte waarin de geitjes vaak met hun vacht bleven haken, en hieuw het hoofd van de Italiaanse graaf af. Vervolgens hield ze zijn hoofd omhoog zodat het inmiddels ontwaakte leger het goed kon zien.

"Laat dit een waarschuwing zijn voor een ieder die mijn geliefde Genovia wil ontheiligen," riep Amelia, en ze zwaaide met de ontzielde schedel van de graaf.

Bij het zien van dit kleine, ogenschijnlijk weerloze meiske vreesden de huurlingen dat de krijgers die ze zouden aantreffen als ze voet op Genoviaanse bodem zouden zetten nog duizendmaal verschrikkelijker zouden zijn. Ze pakten snel hun biezen en reden terug naar waar ze vandaan waren gekomen... En Amelia, die terugkeerde naar haar familie met het hoofd van de graaf als bewijs van haar wonderbaarlijk verhaal, werd alras tot redster van haar land uitgeroepen, en ze leefde nog lang en gelukkig op haar geboortegrond.'

Toen opende Grandmère het slotje aan de hanger, waardoor het ding opensprong en ik kon zien wat erin zat.

'En dit,' zei ze theatraal, 'is wat er nog van de heilige Amelia over is.'

Ik keek naar wat er in het medaillon zat.

'Eh,' zei ik.

'Toe maar, Amelia,' moedigde Grandmère me aan. 'Je mag er aankomen. Dat recht heeft alleen de familie Renaldo. Doe er je voordeel mee.'

Ik stak mijn hand uit en raakte datgene aan wat in het medaillon zat. Het zag eruit – en voelde – als een steen.

'Eh,' zei ik. 'Bedankt, Grandmère. Maar ik snap niet hoe ik me beter kan voelen door het aanraken van een steen van een heilige.'

'Dat is geen steen, Amelia,' zei Grandmère schamper. 'Dat is het versteende hart van de heilige Amelia!'

Getverdegetverdegetverdegetverdgetverdegetverdegetver!

Kwam Grandmère hier binnen zetten om me dít te laten zien? Wil ze me híérmee opvrolijken? Door me het versteende hart van de een of andere heilige te laten aanraken?

Waarom heb ik geen normale grootmoeder die me meeneemt naar Serendipity voor Frozen Hot Chocolate, wanneer ik in de put zit, in plaats van me versteende lichaamsdelen te laten aaien???

Nou, oké, ik snap het. Ik snap dat ik ben vernoemd naar een vrouw die een waanzinnig moedige daad heeft verricht en haar land heeft gered. Ik snap dat Grandmère me een beetje lef van de heilige Amelia wil meegeven voor mijn grote debat met Lana.

Maar ik ben bang dat haar plannetje helemaal niets uithaalt, want hoewel ik net zoals Amelia een zwak heb voor geiten, hebben zij en ik verder helemaal níéts gemeen. Nou ja, Rocky houdt op met huilen als ik voor hem zing. Maar niemand staat te trappelen om me daarvoor heilig te laten verklaren.

Ik geloof trouwens niet dat het vriendje van de heilige Amelia ook zei: 'Ik blijf niet eeuwig wachten.' Zeker niet als ze nog die bijl bij zich had.

Het is allemaal nogal deprimerend. Zelfs mijn eigen grootmoeder denkt dat ik Lana Weinberger zonder goddelijke tussenkomst niet kan verslaan. Fijn hoor.

Goed. Tijd om naar huis te gaan.

Zondag 13 september, 9 uur, thuis

Ik ben zooooo blij dat ik weer thuis ben. Het lijkt wel alsof ik veel langer ben weggeweest dan twee dagen. Echt hoor, het lijkt wel een jaar geleden dat ik in dit bed lag, met een keihard snorrende Dikke Louie om mijn voeten gekruld. En de lieflijke tonen van Lash in mijn oren. Ik hoef namelijk niet meer op te letten of ik Rocky zielig hoor huilen, want mam heeft ervoor gezorgd dat hij niet meer huilt om aandacht. Dit heeft ze voor elkaar gekregen door hem bij Opie en Omie te stallen toen zij en meneer G. naar een oldtimers-tentoonstelling gingen op de parkeerplaats van de Kroger Sav-On. Dat was namelijk het enige wat er dat weekend in Versailles op cultureel gebied te doen was.

Toen ze na vier uur thuiskwamen, zaten Opie en Omie nog steeds op precies dezelfde plek als toen mam en meneer G. weggingen (voor de tv, en ze keken naar een herhaling van *America's Funniest Homevideos*) en was Rocky in diepe slaap. 'Die knul heeft een paar fikse longen,' was het enige wat Omie had gezegd.

Mam zei dat meneer G. een echte held was. Als ze al niet had geweten dat hij van haar hield, dan wist ze het nu zeker, want geen enkele andere man zou voor haar vrijwillig zo veel vernederingen hebben ondergaan. Waaronder Opies tractor besturen (meneer G. zei dat hij tot dusverre hooguit een keertje op een Zamboni-dweilmachine heeft gezeten tijdens een ijshockeywedstrijd van de Rangers). Meneer G. zei dat hij erg onder de indruk was van de borden die hij langs de snelweg vanaf Indianapolis National Airport had gezien, waarop stond dat hij berouw moest hebben van zijn zonden om te worden gered. Jammer genoeg moest hij constateren dat de Versailles County Bank het bordje heeft weggehaald waar ik zo dol op was: DE

BANK IS GESLOTEN, GELD S.V.P. ONDER DE DEUR DOOR SCHUIVEN.

Ik was erg blij dat ze mijn raad hadden opgevolgd en Rocky uit de buurt hadden gehouden van hooimachines, koperkopslangen, en Hazel, Omies geit. Mam zei nog dat het niet echt nodig was geweest dat ik om de drie uur belde om te laten weten dat er in het gebied waar ze waren geen cyclonen op de Doppler-radar waren gesignaleerd, maar dat ze mijn zusterlijke bezorgdheid voor Rocky wel op prijs had gesteld.

Toen meneer G. later bezig was om de koffers terug te proppen in de kruipruimte, vroeg ik mam of ze Wendell Jenkins nog had opgezocht. 'Waarom zou ik?' vroeg ze.

'Omdat je toch van hem hield,' zei ik.

'Tuurlijk,' zei mam. 'Maar dat was twintig jaar geleden.'

'Jawel,' zei ik. 'Maar vijftien jaar geleden hield je van pap, en hém zie je nog wel.'

'Omdat we samen een kind hebben,' zei mam, en ze keek me een beetje bevreemd aan. 'Echt, Mia als jij er niet was geweest, zouden je vader en ik niets meer met elkaar te maken hebben. Onze wegen hebben zich gescheiden.'

Toen vervolgde ze: 'Als ik Frank niet had leren kennen, had ik misschien spijt gehad dat ik bij Wendell en je vader ben weggegaan. Maar ik ben nu getrouwd met de man van mijn dromen. Dus dit is het antwoord op je vraag, Mia: nee, ik heb Wendell Jenkins dit weekend niet opgezocht.'

Wauw. Wat is dit allemaal... Ik weet niet. *Lief.* Dat meneer G. de man van haar dromen is. Ik hoop maar dat hij dat beseft. Dat hij heeft geboft. Ik kan me namelijk voorstellen dat er een heleboel vrouwen zijn die mijn vader de man van hun dromen zouden vinden, omdat hij een rijke prins is en zo. Maar ik denk niet dat er erg veel dames zijn die zeggen: 'Hmm, ik wou dat ik nou eens kennismaakte met een arme wiskundeleraar, met flanel-

len overhemden aan, die drumt en Frank Giannini heet.' Zoals mijn moeder blijkbaar.

Maar het is toch wel fijn dat zowel mijn moeder als ik op hetzelfde moment de man van onze dromen hebben gevonden.

Behalve dat die van mij het gaat uitmaken.

Maar zou de man van mijn dromen nou echt tegen me zeggen dat hij niet eeuwig op me gaat wachten? De man van mijn dromen zou toch in alle eeuwigheid op me willen wachten? Kijk nou naar Tom Hanks in de film *Cast Away*. Die wachtte toch ook maar mooi vier jaar op Helen Hunt.

Nou ja, er liepen natuurlijk ook geen andere meisjes rond op dat eiland waar hij zat, maar toch.

Afijn, toen ik thuiskwam stond er een boodschap van Michael op het antwoordapparaat. Die was bijna hetzelfde als de boodschap die hij in het hotel had achtergelaten. Ik moest hem bellen.

En toen ik mijn computer aanzette, was er een mailtje van hem dat er ook min of meer op neerkwam dat ik hem moest bellen, net zoals allebei die telefoontjes. Maar daar trap ik niet in. Ik ga hem niet bellen zodat hij het met me kan uitmaken.

OOOOOOOO. Berichtje!

Laat het Michael zijn.

Nee laat het niet Michael zijn.

Laat het Michael zijn.

Nee, laat het niet Michael zijn.

Laat het Michael zijn.

Nee, laat het niet Michael zijn.

Laat het Michael zijn.

ILUVROMANCE: Hé ik ben het!

O. Het is Tina.

DkLouie: Hoi, T.

IluvRomance: Bedankt voor de pr8ige avond vrijdag. Het was TE GEK.

DkLouie: Oké. Bedankt.

IluvRomance: Hé, wat is er met je?

DkLouie: Niks.

IluvRomance: Er is wel iets. Je hebt nog helemaal geen uitroeptekens gebruikt! Wat is er? Hebben Michael en jij een Goed Gesprek gehad?

Soms denk ik dat Tina helderziend is.

DkLouie: Jawel. Tina, het was VRESELIJK. Hij heeft het voorstel om het na het schoolbal te doen helemaal de grond ingeboord, en hij zegt dat hij dat zich niet kan veroorloven. Hij was helemaal niet zo aardig als Boris. Hij heeft zelfs gezegd dat hij niet eeuwig zal wachten!!!

IluvRomance: Nee! Dat heeft hij toch niet gezegd??

DkLouie: Echt wel!!! Tina, ik weet niet wat ik moet doen. Mijn hele wereld stort in. Het lijkt wel of Lana helemaal gelijk had!!!

IluvRomance: Dat kan niet, Mia. Je hebt het vast verkeerd begrepen.

DkLouie: Nee hoor. Michael wil Het doen en hij gaat niet eeuwig wachten tot ik weet wat ik wil. Ik snap het gewoon niet. Ik heb altijd gedacht dat hij de man van mijn dromen was...

IluvRomance: Mia, Michael is echt wel de man van jouw dromen. Maar dat betekent nog niet dat je het nooit moeilijk zal hebben met die grote liefde van je.

DkLouie: O nee?

IluvRomance: O, zeker niet! Het pad naar romantische gelukzaligheid is geplaveid met kuilen en hobbels. Iedereen denkt dat alles vanzelf gaat als je de ware hebt gevonden. Maar dat is helemaal niet waar. Een goede relatie kan alleen maar standhouden door hard eraan te werken en wederzijdse opofferingen.

DkLouie: Maar... Wat moet ik dan doen?

IluvRomance: Nou... Weet ik veel. Hoe is het afgelopen?

DkLouie: Lars klopte op de deur en zei dat ik naar huis moest. En daarna heb ik Michael niet meer gesproken.

IluvRomance: Wat zit je daar nou te doen? Bel Michael op, nu meteen!!

DkLouie: Vind je dat echt??

IluvRomance: Natuurlijk vind ik dat. Zeg tegen hem dat je van hem houdt en dat je het er vreselijk moeilijk mee hebt. Je moet met hem praten, Mia, communicatie is waar het om gaat.

DkLouie: Nou goed. Als je denkt dat het helpt, zou ik dat wel kunnen doen...

WomynRule: Hé, Mia. Morgen is dus de grote dag. Ben je er klaar voor?

DkLouie: Lilly, waar zat je? Je moeder heeft naar je gevraagd. Je hebt toch niet weer met die nonnen zitten klieren, hè? Je weet dat agent McLinsky tegen je heeft gezegd dat je ze met rust moet laten.

WomynRule: Als je het zo nodig moet weten, dametje, ik heb me de hele dag uitgesloofd voor JOU. Jij gaat dat debat morgen keihard winnen, dankzij informatie die ik net bevestigd heb gekregen. Toch ga ik die nonnen binnenkort te grazen nemen. Het is niet in de haak wat die daar uitvoeren, dat kan ik je wel vertellen.

DkLouie: Lilly, waar heb je het over? Wat voor informatie? En je moeder wil dat je Pavlov uitlaat.

WomynRule: Heb ik al gedaan. Zeg, hebben mijn broer en jij soms ruzie?

DkLouie: Hoezo? Heeft hij naar me gevraagd???

WomynRule: Dit zegt dus genoeg. En jawel, hij heeft gevraagd of ik iets van je had gehoord. Maar nu wil ik dat je alle onenigheid die je misschien met mijn broer mocht hebben uit je hoofd zet. Je moet morgen op je best zijn voor het grote debat. Ga vanavond vroeg naar bed – nu bijvoorbeeld – en neem morgenochtend een stevig ontbijt. En denk vooral positief.

Morgen hebben we het vierde uur korter les en daarna gaan we allemaal naar de gymzaal voor het debat. Meteen na de pauze wordt er gestemd. Geen paniek. Maar als je het goed doet tijdens dat debat, is alles wat we tot dusver hebben gedaan – de posters, het netwerken bij de voetbalwedstrijd en noem maar op – niet voor niets geweest.

DKLOUIE: Geen paniek??? Lilly ik ben alléén maar in paniek! Het land waarover ik eens zal regeren wordt de EU uit geschopt. Van mijn grootmoeder moest ik het versteende hart van een dooie heilige aanraken. Mijn vriendje wil Het doen. Ik hoef niet meer te zingen voor mijn kleine broertje...

WOMYNRULE: Wát wil mijn broer???

DKLOUIE: Jemig. Dat wilde ik niet zeggen.

WOMYNRULE: Je mag Het niet doen voordat ik Het heb gedaan! Ik vermoord je!!!

DKLOUIE: Ik doe Het niet. Nog niet. Maar hij wil Het doen. Ooit.

WOMYNRULE: O jee. Maar waar heb je het over? Alle jongens willen Het doen. Dat hoor je inmiddels toch te weten. Zeg maar tegen hem dat hij zich een beetje gedeisd moet houden.

DKLOUIE: Tegen iemand als jouw broer kun je niet zeggen dat hij zich gedeisd moet houden. Hij is een mannelijke man, en hij heeft de behoeften van een mannelijke man. Tegen Brad Pitt zou je ook niet zeggen dat hij zich gedeisd moet houden. Nee, want Brad Pitt is een mannelijke man. Net zoals je broer.

WomynRule: Oké, Mia, jij bent de enige die mijn broer een mannelijke man vindt. Maakt niet uit. Denk daar vanavond nou maar niet aan. Concentreer je op een goede nachtrust zodat je morgenochtend fris bent voor het debat. En maak je geen zorgen, je veegt de vloer met ze aan.

DkLouie: Lilly!!! Wacht! Ik kan het niet! Ik bedoel het debat! Jij moet het doen! Jij bent trouwens degene die schoolvoorzitter wil worden! Ik ben bang voor spreken in het openbaar!! Alle grote vrouwen van Genovia waren niet goed in toespraken! We zijn alleen goed in het om zeep helpen van plunderaars!! Lilly!!!

WomynRule: Sluiten.

IluvRomance: Als het je kan troosten, Mia, je zult het morgen fantastisch doen.

DkLouie: Bedankt, Tina. Maar ik moet nu ophouden. Ik denk dat ik moet overgeven.

Maandag 14 september, 1 uur 's nachts

Ik kan dit niet. Ik kan dit niet. Ik ga mezelf echt belachelijk maken.

Waarom heb ik gezegd dat ik dit zou doen?

Maandag 14 september, 3 uur 's nachts

Het is niet eerlijk. Heb ik al niet genoeg te verduren gehad? Waarom moet er nou nog bij komen dat ik – weer – totaal vernederd word ten overstaan van mijn medescholieren?

Maandag 14 september, 5 uur 's nachts

Waarom gaat Dikke Louie niet ergens anders slapen dan op mijn hoofd?

Maandag 14 september, 7 uur 's ochtends

Ik ga dood.

Maandag 14 september, groepslokaal

Als je er goed over nadenkt, maak ik me zorgen om niks. Als het over tien tot twintig jaar toch afgelopen is met de wereld vanwege het gebrek aan olie, kun je jezelf afvragen: waar hebben we het eigenlijk over?

Als die ijskappen smelten? Als dat gebeurt, bestaat heel New York niet meer.

De supervulkaan in Yellowstone? Komt u maar, nucleaire winter.

De killeralgen? Als het met die slakken niet lukt, wordt de hele Middellandse Zeekust verwoest. Het is nog maar een kwestie van tijd of over de hele aarde is de zeebodem bedekt met *Caulerpa taxifolia*. Het leven zoals wij dat nu kennen, zal ophouden te bestaan, want er komt geen voedsel meer uit de zee... Geen gegrilde garnalen, geen kreeftsandwich of gerookte zalm. Er zijn dan namelijk helemaal geen garnalen, kreeften of zalmen meer. Of wat dan ook. Alleen maar killeralgen.

Als je dit allemaal beseft, stelt mijn debat met Lana toch eigenlijk niets voor?

Maandag 14 september, gym

Waarom moeten we uitgerekend vandaag de les beginnen met volleybal? Ik heb de pest aan volleybal. Dat gedoe dat je met de binnenkant van je polsen die bal moet wegmeppen... Dat doet pijn! Ik krijg vast allemaal blauwe plekken.

En ik kan mevrouw Potts grapje niet waarderen dat ze Lana en mij tot aanvoersters heeft gebombardeerd. Het kwam er natuurlijk helemaal op neer dat het een wedstrijd werd tussen de Populairen en de Onpopulairen. Lana koos Trisha en al die andere afgrijselijke vriendinnen van haar, en ik koos Lilly en alle andere motorisch gestoorden uit de klas. Dat moest wel, want ik wist dat Lana die niet zou kiezen, en ik wilde niet dat ze zich buitengesloten voelden. Ik weet namelijk hoe erg het is om als laatste te worden gekozen. Het is het meest afschuwelijke gevoel dat ik ken. Je staat daar maar en degene die kiest werpt even een blik op je en loopt dan ijskoud langs je heen, alsof je niet bestaat.

En Lana won natuurlijk met tossen, dus mocht zij als eerste opslaan en mepte ze de bal keihard mijn kant op. Ik zweer het. Het was maar goed dat ik wegdook, anders had hij me geraakt en had ik een blauwe plek.

En het kan me niet schelen dat mevrouw Potts zegt dat het daar nou juist om gaat. Weet ze dan niet van al die ongelukken met volleybal het afgelopen jaar? Hoe zou zij het vinden als ze haar oog kwijtraakte vanwege een bal?

Overigens rende niemand van mijn team naar de bal om terug te slaan, want ze wisten duidelijk allemaal net als ik alles over aan volleybal gerelateerd oogletsel.

Ik hoef niet te zeggen dat we elke set hebben verloren.

En nu loopt Lana in de kleedkamer te paraderen met Ramon Rivera's voetbalbroekje aan. Ze zegt dat ze dit weekend na de

wedstrijd zo'n gewéldige tijd heeft gehad. Ze is met Ramon op het jacht van haar vader rond Manhattan gevaren. Dat zal ze ook niet meer kunnen als de ijskappen gesmolten zijn, want dan bestaat Manhattan niet meer omdat het is ondergelopen, dus ik hoop maar dat ze ervan heeft genoten. Ik denk eigenlijk van niet, want ze zei dat ze reuze lol hadden gehad met het overboord gooien van flessendopjes en kijken naar de zeemeeuwen die naar beneden doken in de veronderstelling dat het eten was.

Blijkbaar is Lana niet zo snugger op milieugebied, want ze weet niet eens dat een tikkeltje minder intelligente zeemeeuw of vis kan stikken in zo'n flessendop.

Daarna heeft haar vader hen meegenomen naar de Water Club, een restaurant waar ik altijd nog een keer naar toe heb gewild, maar dat waarschijnlijk binnenkort zal moeten sluiten als er niets wordt gedaan aan de killeralgen die al het andere onderwaterleven verstikken.

Ik betwijfel echter of Lana ooit heeft nagedacht over het leven dat zich onder de zeespiegel afspeelt. Ze is alleen maar geïnteresseerd in dingen die daarboven plaatsvinden. Zoals hoe ze er in bikini uitziet.

En omdat ik haar in een string heb gezien, weet ik dat het walgelijk goed is.

Maar dat maakt haar nog geen goed mens.

Waarom schiet niemand een kogel door mijn hoofd?

Maandag 14 september, wiskunde

Nog twee lessen voordat ik mezelf belachelijk maak voor de hele school.

Indirect bewijs = toont de juistheid van een stelling aan door het tegendeel of de ontkenning ervan te weerleggen.

De weerlegging geeft aan dat het uitgangspunt fout is en de gewenste conclusie waar.

Omdat Lana mooi is, moet ze wel goed zijn. Want alle mooie dingen zijn goed.

FOUT FOUT FOUT FOUT FOUT!

Killeralgen zijn ook mooi, maar dodelijk.

Hypothese = een als voorlopige waarheid aangenomen maar nog te bewijzen vooronderstelling.

Ik kan zonder meer vooronderstellen dat ik vandaag het debat met Lana zal verliezen.

Weet je wat? Ik denk dat ik wiskunde een beetje doorkrijg.

Jeminee, zou het niet idioot zijn als ik de hele tijd dacht dat ik ergens goed in was en slecht in iets anders, en dat dan blijkt dat ik slecht was in het ene en juist goed in het andere?

Maarre... ik wil later geen wiskundige worden. Ik wil schrijfster worden. Ik wil goed zijn in schrijven en niet goed in wiskunde.

Nou ja, ik wil er natuurlijk best goed in zijn. Maar niet zo

goed dat ik opeens allemaal wiskundeprijzen win, en dat iedereen vraagt: 'Mia, Mia, los even deze formule op!'

Want dat zou doodsaai zijn.

Maandag 14 september, Engels

Nog één les voordat ik mezelf belachelijk maak voor de hele school.

Moet je kijken. Wat verbeeldt ze zich wel met die slippertjes van Samantha Chang?

Heb ik gezien! Ze verbeeldt zich blijkbaar heel wat. Dat is overduidelijk.

Wedden dat ze die bril niet eens nodig heeft? Die heeft ze volgens mij alleen maar op om te verbergen dat ze enge kleine spleetoogjes heeft.

Absoluut. En die werkmansbroek. Hallo.

Helemaal uit, dacht ik zo.

Mia! Ben je wel enthousiast? Je ziet er helemaal niet enthousiast uit. Eigenlijk zie je er nog net zo beroerd uit als onder gym. Heb je vannacht wel geslapen?

Hoe kon ik nou slapen in de wetenschap dat ik vandaag levend zou worden gevild in aanwezigheid van alle leerlingen – zoals die vent in *Horatio Hornblower*.

Niemand wordt levend gevild. Nou, misschien Lana. Want je maakt gehakt van haar.

Lilly! Niet waar! Ik ben niet goed in spreken in het openbaar, dat weet je toch. En evolutionair gezien heeft Lana het voordeel

van zowel haar uiterlijk als het feit dat ze deel uitmaakt van een sociaal-politieke groepering waaraan wij ons gewillig onderwerpen.

Waar heb je het in vredesnaam over?

Geloof mij nou maar. Ik ga verliezen.

Dus niet. Ik heb een geheim wapen.

GA JE HAAR DOODSCHIETEN?

Nee, Tina, sukkel, ik ga Lana tijdens het debat niet doodschieten. Ik heb nog iets achter de hand waarmee ik op de proppen kom als de leerlingenpopulatie niet overtuigd lijkt. Maar alleen als Mia het nodig lijkt te hebben.

IK HEB HET NODIG!! IK HEB HET NODIG!!

Geduld, jonge Padawan.

Lilly, alsjeblieft, als je iets weet, moet je het zeggen. Ik heb het niet meer. Ik word gemangeld tussen je broer en de slakken en dit gedoe...

Mia! Ze vraagt of je even mee naar de gang komt!

Ademen. Gewoon blijven ademen. Dan komt het allemaal goed. Net als met Drew in Ever After.

Jij hebt makkelijk praten, Lilly. Zij heeft nooit jóúw dromen de grond in geboord.

Maandag 14 september, trappenhuis, derde verdieping

Wat verbeeldt ze zich wel? Echt hoor. Denkt ze dat ik stom ben omdat ik blond ben (oké, vaalblond, maar toch) en prinses?

Als dat zo is, kan ze beter iets aan die 'vooronderstelling' van haar doen.

'Mia,' zei ze nadat ze me in het bijzijn van de hele klas de gang op had gesleept om 'even te praten'. 'Ik heb met je vader gesproken. Hij kwam vrijdag naar me toe om het over je werk hier op school te hebben. Mia, ik had geen idee dat je zo overstuur was vanwege de cijfers die ik heb gegeven. Je had iets moeten zeggen...'

Eh, hallo, ik dacht dat ik dat had gedaan. Ik heb toch gevraagd of ik dat opstel mocht overdoen, mevrouw Martinez?

'Je weet dat je altijd bij me kunt aankloppen om over dingen te praten.'

Eh... O. Oké. Kan ik vertellen dat ik me zorgen maak over Britneys overhaaste huwelijk en haar daaruit voortvloeiende afwezigheid in de amusementswereld? Nou, ik dacht het niet, mevrouw Martinez. Want u houdt niet van verwijzingen naar de gladde, populaire cultuur.

'Ik weet dat ik behoorlijk streng ben met cijfers geven, Mia, maar een zes is echt heel goed voor mijn doen. Ik heb dit semester maar één tien gegeven...'

Eh, dat weet ik, want dat heb ik gezien. Voor Lilly's opstel.

'De enige reden waarom ik je geen hoger cijfer heb gegeven, is omdat je volgens mij nog niet al je capaciteiten benut. Je bent echt een getalenteerd schijfster, Mia. Maar je moet hogere eisen aan jezelf stellen en onderwerpen aansnijden die iets meer om het lijf hebben dan Britney Spears.'

En dit mankeert er dus aan deze school. Dat mensen niet

snappen dat Britney Spears een onderwerp is dat wel degelijk iets om het lijf heeft. Ze is een soort menselijke barometer aan wie de stemming die in het land heerst kan worden afgelezen. Wanneer Britney iets krankzinnigs doet, grijpt iedereen opgewonden naar US *Weekly* en *Touch*. Britney biedt ons iets om naar uit te zien. Op het nieuws komen allemaal moorden, rampen en andere vreselijke dingen aan bod. Maar dan heb je opeens Britney die met Madonna staat te tongen bij de MTV Video Music Award, en dan lijkt alles opeens een stuk minder erg.

Ik denk dat ze de verontwaardiging op mijn gezicht zag, want mevrouw Martinez vroeg opeens: 'Mia? Gaat het een beetje?'

Maar ik gaf geen antwoord. Want wat moest ik zeggen?

Nou, fijn hoor. De laatste bel voor het vierde uur ging net. Ik krijg een strafbriefje van Mademoiselle Klein als ik naar Frans ga.

Niet dat het me wat kan schelen. Wat is een strafbriefje vergeleken met wat me staat te wachten over precies veertig minuten, in aanwezigheid van de hele school?

Maandag 14 september, Frans

Nog nul lessen voordat ik me zelf belachelijk maak in het bijzijn van de hele school.

Waar was je nou? Je hebt het gemist!

Wat gemist? Waar heb je het over, Shameeka? Wacht even, is iedereen om Perin heen gaan staan roepen TREK JE BROEK UIT?

Natuurlijk niet. Maar we moesten van mademoiselle Klein allemaal ons verhaal voorlezen. En dan moesten we eerst onze naam zeggen. Zoals 'Mon Histoire, par Shameeka' en toen ze bij Perin kwam, zei die: 'Mon histoire par Perinne,' En toen zei mademoiselle Klein: 'Je bedoelt Perin.' En toen zei Perin: 'Nee, Perinne,' en mademoiselle Klein zei weer: 'Nee, je bedoelt Perin, want Perin is de mannelijke vorm van Perinne, en jij bent een jongen, Perinne is vrouwelijk.' En toen zei Perin: 'Ik weet dat Perinne vrouwelijk is. Ik ben een meisje.'

Perin is een meisje? O, jeetjemina. Arme Perin. Wat gênant! Ik bedoel dat Mademoiselle dacht dat hij een hij was. Ik bedoel, dat zij een hij was. Nou ja, je weet wel wat ik bedoel. Wat deed ze toen? Mademoiselle Klein dus.

Nou, ze bood haar verontschuldigingen aan. Wat moest ze anders? En die arme Perin werd knalrood. Ik had zó met haar te doen!

Dat komt wel goed, Shameeka. We vragen of hij – ik bedoel zij – vanmiddag in de pauze bij ons komt zitten. Ik zag haar de afgelopen week steeds in haar eentje zitten bij die jongen die

het vies vindt als er maïs bij de chili con carne zit. Ik denk echt dat ze ons nodig heeft.

O! Wat een geweldig ideetje! Jij bent toch zo goed in dat soort dingen. Om mensen zich beter te laten voelen. Het lijkt wel alsof...

Alsof wat?

Nou, ik wou zeggen alsof je prinses bent of zoiets. Maar je bént prinses. Dus natuurlijk ben je goed in dat soort dingen. Het is min of meer je werk.

Ja. Een beetje wel, hè?

Maandag 14 september, in het kantoortje van rectrix Gupta

Weet je wat? Het kan me allemaal niets meer schelen. Het kan me ook niet schelen dat ik in het kantoortje van de rectrix zit.

Het kan me ook niet schelen dat Lana naast me zit en heel vuil naar me kijkt.

Het kan me ook niet schelen dat mijn leeuwenkopembleem aan een paar draadjes aan mijn jasje hangt.

En het kan me ook niet schelen dat de hele school in de gymzaal zit te wachten tot we beginnen met het debat.

Hoe haalt ze het in haar kop? Dat wil ik wel eens weten. Ik bedoel Lana. Hoe dúrft ze!!! Dat ze míj het bloed onder de nagels vandaan haalt, oké, maar het is wat anders als ze iemand treitert die volkomen weerloos is en bovendien nieuw is op onze school.

Als ze denkt dat ik gewoon blijf toekijken terwijl ze iemand op die manier voor schut zet, dan heeft ze het helemaal mis. Nou ja, dat heeft ze intussen wel door, want ze ziet zelf wel dat ik nog steeds een pluk van haar haar in mijn handen heb. Hoewel, het is eigenlijk niet eens háár haar, want het was zo'n haarvlecht die je vastklipt, en die ze in had om te laten zien dat ze van deze school is (er is een blauw lintje door het blonde nephaar gevlochten).

Dat verklaart ook waarom het zo makkelijk losliet toen ik op haar af dook om al het haar uit haar stomme kop te rukken, nadat ze had gezegd dat ik me met mijn eigen zaken moest bemoeien en mijn AEC-embleem met de leeuwenkop van mijn jasje had getrokken.

Toch hoop ik dat het pijn doet.

Het is alleen wel jammer dat ze niet beseft dat ze heeft

geboft. Het had nog veel erger kunnen zijn als Lars en Perin me niet hadden tegengehouden.

Perin mag dan wel een meisje zijn, maar ze is behoorlijk sterk.

Ze heeft ook erg beschaafde manieren. Toen mevrouw Gupta me mee naar haar kantoortje sleepte, hoorde ik Perin roepen: 'Dank je wel, Mia!'

En ik kan me vergissen, want ik was nog steeds helemaal witheet van woede, maar ik dacht dat ik een paar mensen hoorde applaudisseren.

Het zal echter nooit bij mevrouw Gupta opkomen dat Lana iets verkeerd heeft gedaan. Absoluut niet! Dat ik Lana aanviel, is volgens haar te wijten aan 'de zenuwen' vanwege het debat. Ja hoor, mevrouw Gupta. Het waren echt de zenuwen. Het had er niets mee te maken dat na de Franse les Lana 'hermafrodiet' tegen Perin zei.

En dat ik als reactie daarop zei dat Lana haar stomme bek moest houden.

En dat Lana uit wraak mijn AEC-embleem van mijn jasje rukte.

Mevrouw Gupta heeft alleen maar gehoord dat ik zomaar in een opwelling Lana's vlecht van haar hoofd trok.

Mevrouw Gupta zegt dat ik bof dat ze me niet meteen schorst. De enige reden waarom ze dat niet zal doen, is vanwege mijn problemen thuis. (Hallo? Waar heeft ze het over? De slakken? Dat ik een babylikker ben? Dat mijn vriendje Het ooit wil doen? Wat bedoelt ze???)

Ze zegt dat het voor Lana en mij beter zou zijn als we onze meningsverschillen op een wat beschaafdere manier zouden uitvechten, dus niet door elkaar op de gang van de tweede verdieping te lijf te gaan. Ze vindt dat we toch moeten doorgaan met het debat, en dan zegt ze: 'Mia, zou je even je hoofd uit dat dagboek willen halen en je aandacht houden bij wat ik zeg?'

Jee. Waar denkt ze dat ik over schrijf? Fanfiction over *Star Wars*?

Lana begint te lachen, hoe kan het anders.

Ik denk dat ze niet zo hard zou lachen als ze wist dat ik ben vernoemd naar een persoon die met een bijl iemands kop eraf heeft geslagen.

Maandag 14 september, de gymzaal

Jemig!!! Hoe ben ik hierin verzeild geraakt? Ze zijn er allemaal. Alle duizend leerlingen van het Albert Einstein College, vanaf de eerste tot en met de vierde klas, zitten hier op de tribune voor me. Ze kijken naar me en gapen me aan, omdat er, behalve Lana, niets anders is om naar te kijken. Alleen twee podia en een plant die ze hebben neergezet voor een huiselijk accent – of misschien om me van zuurstof te voorzien voor het geval ik mocht flauwvallen – en mevrouw Gupta die tussen twee klapstoelen staat als een scheidsrechter bij een bokswedstrijd.

Ik weet zeker dat ik in die plant ga kotsen.

Mevrouw Gupta merkt op dat het een vriendschappelijk debat is waarin Lana en ik de kans krijgen onze kiezers te vertellen welke onderwerpen we aan de orde willen stellen.

Vriendschappelijk. Juist, ja. Daarom heb ik nog steeds Lana's vlecht in mijn hand.

Maar hoezo onderwerpen? Zijn er dan onderwerpen? Niemand heeft me gezegd dat we het over onderwerpen zouden hebben!

Ik zie Lilly op de eerste rij van de tribune zitten, met haar videocamera in de aanslag. Ze zit naast Tina, Boris, Shameeka en Ling Su, en o, wat lief, Perin, en ze gebaart naar me. Wat wil Lilly me duidelijk maken? Vast niet dat ze haar geheime wapen tevoorschijn gaat halen. Nog niet, in elk geval. Het debat is nog niet eens begonnen! Wat doet ze nou met haar handen? Waarom maakt ze een gebaar alsof ze iets dichtslaat?

O, ik snap het al. Ze wil dat ik rechtop ga zitten en stop met in mijn dagboek schrijven. Ja, dat had je gedroomd, Lilly. Ik...

O néé!!! Die geur! Ik herken die geur. Chanel numéro 5. ik ken maar één iemand die Chanel numéro 5 gebruikt – of zich

er tenminste zo mee besproeit dat je haar op kilometers afstand kunt ruiken.

Wat doet zíj hier?

O, jeminee. Waarom heb ik dit? Echt. Het zou verboden moeten worden dat familieleden van scholieren hier zomaar binnen komen wandelen als het hun uitkomt. Ik zou lang niet zoveel problemen hebben als er op deze school een soort beveiliging was die mijn familie buiten de school hield.

O nee, hè? Niet ook nog mijn vader.

En Rommel.

En een hele batterij verslaggevers...

Jeeeeemig! Larry King???

Helemaal geweldig. Het enige wat ik nu nog mis, is dat mijn moeder met Rocky komt opdraven, want dan is de Thermopolis-Giannini-Renaldo familiereünie compleet.

O. Daar is ze al. Ze wuift met Rocky's armpje naar me vanaf de tribune. Ha, Rocky. Wat fijn dat je er bent! Blij dat je mag meemaken dat je zus helemaal wordt afgemaakt door haar aartsvijandin.

O nee, het gaat beginnen.

Waar is Michael wanneer ik hem nodig heb???

Maandag 14 september, meisjestoilet

Ik zit op het meisjestoilet. Voor de zoveelste keer.

En ik denk dat het lang gaat duren voordat ik er weer uit kom. Héél lang. Misschien wel helemaal nooit meer.

Het was allemaal zo ontzettend onwerkelijk. Ik zag mevrouw Gupta tegen de microfoon tikken. En daarna hoorde ik het geroezemoes op de tribune verstommen. Alle ogen waren op ons gericht.

Vervolgens heette mevrouw Gupta alle aanwezigen welkom bij het debat – met speciale aandacht voor de komst van Larry King en zijn cameraploeg. Ze ging nog even in op het belang van de leerlingenraad en de vooraanstaande rol die de schoolvoorzitter hierin vervult, en toen zei ze: 'We hebben hier twee zeer verschillende jongedames – allebei met een unieke, eh, sterke persoonlijkheid – die zich voor deze functie verkiesbaar hebben gesteld. Ik hoop dat jullie hun de volle aandacht zullen schenken wanneer onze kandidaten ieder op hun beurt uitleggen waarom zij het meest geschikt zijn voor het voorzitterschap, en welke verbeteringen ze voor het Albert Einstein College voor ogen hebben.'

En toen kreeg Lana van mevrouw Gupta als eerste het woord. Dat was waarschijnlijk mijn straf voor het vlechtentrekken.

Het applaus dat opklonk toen Lana naar het spreekgestoelte zweefde, kan alleen maar worden beschreven als donderend. Het roepen en schreeuwen, het gescandeer van 'La-na, La-na', was oorverdovend, maar dat kwam natuurlijk ook doordat de gymzaal stalen dakbalken heeft, waardoor het geluid werd weerkaatst.

Toen Lana het woord nam, was ze er zo te zien helemaal niet van onder de indruk dat ze duizend medescholieren moest toe-

spreken, plus nog ongeveer vijfenzeventig leden van het docentenkorps, het personeel van het AEC (de dames van de kantine meegerekend), plus mijn hele familie en een aantal correspondenten van CNN.

Ik wil alleen maar zeggen dat Lana precies kwam met wat die duizend medescholieren – nou, ja het grootste deel in elk geval – wilden horen. Het was niet echt een verrassing dat Lana een fervent voorstander bleek van beter eten in de kantine, een langere lunchpauze, grotere spiegels in de meisjestoiletten, minder huiswerk, meer sport, meer keuze in koolhydraat- en vetarme producten in de snoep- en frisdrankautomaten, en een garantie van de schoolleiding voor de leerlingen die van het AEC af komen dat ze worden toegelaten tot de beste universiteiten. Ze was ook tegen de buitencamera's, en ze beloofde plechtig dat ze die zou laten verwijderen. Ze beloofde al die juichende scholieren dat ze dit allemaal voor elkaar zou krijgen wanneer ze haar als voorzitter kozen.

Terwijl ik toevallig weet dat ze dat niet kan. Want die camera's mogen dan wel inbreuk maken op het recht van leerlingen die buiten school willen roken en de stoep vervuilen met hun gore peuken, maar ze zijn er ook om de school te beschermen tegen vandalisme en inbraken.

En de leverancier van de kantine bedient alle scholen en ziekenhuizen in de omgeving, tegen de laagste prijs en de hoogste kwaliteit die in de wijde omtrek kan worden geleverd.

En als het schoolbestuur zou instemmen met een langere lunchpauze, zouden ze de lessen korter moeten maken, en die zijn al slechts vijftig minuten.

En waar denkt Lana het geld vandaan te halen voor grotere spiegels in de toiletten? En heeft ze er wel eens over nagedacht dat:

- minder huiswerk betekent dat er minder voorbereiding is voor studierichtingen die sommigen van ons later zullen volgen?
- meer sport minder geld voor het kunst- en cultuurprogramma betekent?
- helemaal niemand de garantie krijgt om tot de beste universiteiten te worden toegelaten, zelfs niet leerlingen met ouders die daar zelf hebben gestudeerd?
- onze keuze voor wat er in de snoep- en frisdrankautomaten zit, wordt beperkt door wat de leveranciers te bieden hebben?

Niet dus.

Maar ik denk dat zij dat niet belangrijk vindt. En haar achterban blijkbaar ook niet, want tegen de tijd dat ze was uitgepraat, schreeuwden ze als gekken en ze stampten met hun voeten op de tribunes om hun bijval te laten blijken. Ik zag dat Ramon Riveras opstond en met zijn schoolblazer boven zijn hoofd zwaaide om de menigte nog meer op te hitsen.

Mevrouw Gupta had een verbeten trekje om haar mond toen ze naar de microfoon toe liep en zei: 'Eh, nou, dank je wel, Lana. Mia, wil je hierop ingaan?'

Ik dacht dat ik moest kotsen. Echt waar. Hoewel ik niet zou weten wat ik nog zou moeten overgeven, want ik heb vanmorgen niet ontbeten. Het enige wat ik binnen heb gekregen zijn vijf Starbursts van Lilly, een halve Bit-O-Honey die ik van Boris had gebietst, drie Tic Tacs van Lars, en een cola.

Maar toen ik naar het spreekgestoelte liep – mijn knieën bibberden zo erg dat het nog een wonder was dat ik niet omviel – gebeurde er iets. Ik weet niet meer precies wat. Of waarom.

Misschien kwam het door het boegeroep.

Misschien kwam het doordat Trisha op mijn soldatenkistjes wees en begon te hinniken.

Het kan ook zijn dat het kwam doordat Ramon Riveras zijn handen aan zijn mond zette en 'PIOPIO!' schreeuwde, op een manier die je niet echt vleiend kon noemen.

Maar toen ik in de zee van mensen voor me Perins blije, stralende gezicht ontdekte, terwijl ze haar handen kapot zat te klappen voor mij, was het alsof de geest van mijn voorouder Rosagunde, de eerste prinses van Genovia, in me voer.

En anders was het mijn patroonheilige Amelia die vanaf een wolk met haar bijl naar me zwaaide.

Dus hoewel ik nog steeds wilde kotsen, dacht ik op weg naar het spreekgestoelte aan Grandmère die me had ingeprent dat ik daar niet met mijn ellebogen op moest gaan hangen.

En toen deed ik iets wat in de geschiedenis van de schoolvoorzittersdebatten van het AEC nog nooit was voorgekomen.

Ik rukte de microfoon uit de standaard, en ik ging ermee voor het spreekgestoelte staan.

Ja hoor. Ervoor. Dus er was helemaal niks wat me bescherming bood.

Niks om me achter te verschuilen.

Er was helemaal niets tussen mij en mijn publiek.

Toen er dus een diepe stilte viel vanwege deze ongewone actie zei ik (ik had trouwens geen flauw idee waar die plotselinge woordenstroom vandaan kwam):

'Kom tot mij, gij vermoeiden, gij armen/Gij opeengepakte menigten, snakkend om vrij te ademen.

Dat staat op het Vrijheidsbeeld. Dat was het eerste wat al die miljoenen emigranten zagen wanneer ze in dit land voet aan wal zetten. Een tekst die mensen de zekerheid gaf dat in deze grote smeltkroes iedereen welkom was, ongeacht hun afkomst, wat voor kleur haar ze hadden, of ze verkering had-

den, of ze waxten, schoren of naturel waren, of ze wel of niet aan sport deden.

En is een school uiteindelijk ook geen smeltkroes? Worden wij als groep niet elke dag bij elkaar geworpen, en moeten we maar zien hoe we het redden?

Maar hoewel we hier op het Albert Einstein in wezen ook een natie zijn, is dat niet af te zien aan ons gedrag. Ik zie alleen maar mensen die uit zelfbescherming kliekjes vormen, en die als de dood zijn om een nieuweling, iemand uit de opeengepakte menigten, snakkend om vrij te ademen, tot hun geweldige, selectieve groepje toe te laten.

En dat is volkomen kut.'

Ik liet dit even bezinken, want ik zag een golf van ongeloof door mijn publiek gaan. Larry King mompelde iets in Grandmères oor.

Maar het leek wel alsof het me allemaal niets kon schelen. Al had ik nog steeds zin om te projectielbraken over al die Sporters die voor me zaten.

Maar dat deed ik niet. Ik ging gewoon door. Als een soort...

Nou ja, als de heilige Amelia.

'Het verleden heeft vele vormen van bestuur gekend, inclusief bestuur gebaseerd op het goddelijk recht, iets wat in dit land al honderden jaren geleden is afgeschaft.

Maar om de een of andere reden lijkt op deze school nog steeds dit goddelijk recht van bestuur te bestaan. Er zijn hier bepaalde mensen die het recht menen te hebben hier de dienst uit te maken, omdat ze aantrekkelijker zijn dan anderen, of beter in sport, of vaker dan anderen op feestjes worden uitgenodigd.'

Terwijl ik dit zei, keek ik heel gericht naar Lana, en toen voor de goede orde ook nog maar even naar Ramon en Trisha. Vervolgens richtte ik mijn blik weer op de mensen voor me, die

me bijna allemaal met open mond zaten aan te staren. En heus niet omdat ze, zoals Boris, last hebben van een scheefstaand neustussenschot.

'Dit zijn de mensen die aan de top staan van de evolutionaire ladder,' ging ik verder. 'De mensen met de gaafste huid. Mensen met lichamen zoals die van de modellen die we in de bladen zien. De mensen die altijd de nieuwste tassen en zonnebrillen hebben. De populaire mensen. Mensen op wie je wel zou willen lijken.

Maar vandaag sta ik hier om jullie te vertellen dat ik weet hoe het is. Jazeker. Ik weet hoe het is om bij de populaire kant te horen. En weet je wat? Het is allemaal nep. Deze mensen, die zich gedragen alsof ze het recht hebben voor ons de dienst uit te maken, zijn hier volkomen ongeschikt voor omdat ze niet geloven in de meest fundamentele grondregel van onze natie, namelijk dat we allemaal GELIJK ZIJN. Niemand van ons is beter dan een ander. En dat geldt ook voor de eventueel aanwezige prinsessen.'

Hierop werd gelachen, hoewel het helemaal niet mijn bedoeling was geweest om grappig te zijn. Maar op de een of andere manier had ik door dat gelach niet meer zo'n behoefte om te kotsen. Ik bedoel maar... Ik had mensen aan het lachen gemaakt.

En ze lachten me niet uit. Ze lachten om iets wat ik had gezegd. En ook niet spottend.

Ik weet niet, hoor, maar dat was best wel cool.

En hoewel het zweet nog in mijn handen stond en mijn vingers trilden, voelde ik me opeens goed.

'Kijk,' zei ik. 'Ik ga hier niet allemaal onzin beloven waarvan iedereen weet dat ik die toch niet kan waarmaken.' Ik keek weer naar Lana, die haar armen over elkaar had geslagen en een gezicht naar me trok. Vervolgens richtte ik me weer tot het

publiek. 'Langere lunchpauze? Jullie weten dat het schoolbestuur dat nooit zou goedkeuren. Meer sport? Zijn er mensen die het gevoel hebben echt iets tekort te komen op het gebied van sport?'

Er werden een paar handen opgestoken.

'En zijn er mensen die denken iets tekort te komen op het gebied van creativiteit en educatie? Zijn er mensen die vinden dat er op school meer behoefte is aan een literair tijdschrift, een nieuwe digitale video, nieuwe apparatuur voor de film- en fotoclubs, een pottenbakkersoven voor de afdeling handvaardigheidheid, of een nieuw belichtingssyteem voor de Theatergroep, dan aan een voetbalbeker?'

Er werden een heleboel handen opgestoken.

'Dat dacht ik al,' zei ik. 'Deze school heeft namelijk echt een probleem, en dat komt doordat al heel lang een minderheid de dienst uitmaakt. En dat klopt niet.'

Iemand slaakte een kreet. En volgens mij was dat niet Lilly.

'Om eerlijk te zijn,' ging ik verder, aangemoedigd door die kreet, 'is dit niet alleen volkomen onterecht, het is ook een grove schending van de beginselen waarop onze natie is gegrondvest. Zoals de filosoof John Locke al zei: "Bestuur is alleen gewettigd als het gedragen wordt door de instemming van de mensen die worden bestuurd." Willen jullie echt ermee instemmen dat een paar bevoorrechte mensen de beslissingen voor jullie nemen? Of vertrouwen jullie die beslissingen toe aan iemand die jullie echt begrijpt, die jullie idealen, jullie hoop en jullie dromen deelt? Iemand die haar uiterste best zal doen om ervoor te zorgen dat er naar jullie stem en níét naar de stem van de zogenaamde populaire minderheid wordt geluisterd?'

Er klonk weer een kreet van instemming, en die kwam helemaal van de andere kant van de tribune, dus was het zeker niet een van mijn vrienden.

De tweede kreet werd gevold door een derde, en toen klonk er een aarzelend applaus. Iemand riep: 'Zet hem op, Mia!'

Wauw.

'Eh, dank je, Mia.' Vanuit mijn ooghoek zag ik mevrouw Gupta naar me toe komen lopen. 'Dat was heel verhelderend.'

Maar ik deed net alsof ik haar niet had gehoord.

Jazeker. Mevrouw Gupta gaf me toestemming om te gaan zitten, om uit de schijnwerpers te treden en weer braaf terug te gaan naar mijn plaats.

En ik negeerde haar.

Want ik had nog meer dingen die me van het hart moesten.

'Maar dat is niet het enige wat er niet op klopt op deze school,' zei ik in de microfoon, en ik genoot van het geluid van mijn stem dat door de gymzaal schalde.

'Hoe zit het met de mensen die hier werken, mensen die zich docenten noemen, die vinden dat hun manier van uitdrukken de enige juiste is? Laten we ons echt de wet voorschrijven door leraren die op bepaalde subjectieve gebieden – zoals opstellen bijvoorbeeld – vinden dat het onderwerp niet diepgaand genoeg is? Als ik bijvoorbeeld een opstel zou willen schrijven over de historische betekenis van Japanse anime of manga, is mijn opstel dan minder belangrijk dan een opstel over de krater in Yellowstone Park die op een dag tot uitbarsting zal komen, waardoor tienduizenden zullen sterven?

Of,' voegde ik eraan toe, want er ontstond geroezemoes omdat ze niet wisten dat Yellowstone Park gewoon één dodelijk magmareservoir is, en waarschijnlijk hebben heel wat leerlingen daar hun vakantie doorgebracht zonder dit te beseffen, 'is mijn opstel net zo belangrijk als het opstel over de krater in Yellowstone Park, want omdat we nu weten dat er zo'n krater bestaat, kunnen we wel wat afleiding gebruiken, bijvoorbeeld door Japanse anime of manga.'

Even was het doodstil. Toen schreeuwde iemand vanaf het midden van de tribune: '*Final Fantasy!*' Een tweede riep: '*Dragonball!*' Weer iemand anders helemaal bovenaan gilde: '*Pokemon!*' Waarop iedereen begon te lachen.

'Misschien zijn dingen als de loterij en de televisie uitgevonden om producten te verkopen, om mensen het zuurverdiende geld uit de zak te kloppen en ons af te leiden van de verschrikkingen in de wereld om ons heen. Maar misschien hebben wij dit soort afleiding wel nodig om onze vrije tijd goed te besteden,' ging ik verder. 'Wat is er mis mee dat we na gedane arbeid een beetje naar *The OC* kijken? Of karaoke zingen? Of strips lezen? Kan iets alleen maar cultureel zijn als het ingewikkeld en moeilijk te begrijpen is? Als over honderd jaar, wanneer we allemaal zijn gestorven vanwege de krater in Yellowstone Park, de gesmolten ijskappen, gebrek aan olie, of wanneer de killeralgen de aarde hebben overgenomen, de weinige overlevenden zullen terugkijken op de twintigste-eeuwse maatschappij, wat zou dan een betere beschrijving geven van hoe we leefden: een opstel over de manier waarop de media ons uitbuiten, of één enkele aflevering van *Sailor Moon*? Het spijt me wel, maar wat mij betreft, geef mij dan maar anime.'

De gymzaal ging uit zijn dak.

En niet omdat de Computerclub er eindelijk in was geslaagd een killerrobot te fabriceren en die onder het publiek los te laten.

Maar om wat ik had gezegd. Echt waar. Om wat ik, Mia Thermopolis, had gezegd.

Maar ik was nog niet klaar.

'Dus,' zei ik, en ik moest keihard schreeuwen om boven het applaus uit te komen, 'wanneer jullie vandaag je stem uitbrengen op de schoolvoorzitter, stel jezelf dan de vraag: wie wordt er bedoeld met "het volk" in de zinsnede: "bestuur van het volk,

door het volk"? Wordt hier de bevoorrechte minderheid bedoeld? Of de overgrote meerderheid hier op school die niet met een zilveren pompon in hun mond werd geboren? Stem dus voor de kandidaat die jullie, het volk, het best vertegenwoordigt.'

En terwijl mijn hart bijna uit mijn lijf bonkte, draaide ik me om, wierp mevrouw Gupta de microfoon toe en rende de gymzaal uit.

Naar dit veilige hokje in het meisjestoilet.

Ik voel me zo raar. Ik heb me nog nooit zo voor iets uitgesproken, afgezien van die parkeermeters, maar dat was anders. Toen ging het niet om *míj*. Dat had betrekking op hogere inkomsten en minder schade aan de infrastructuur. Dat was eigenlijk helemaal niet moeilijk.

Maar dit...

Dit was anders. Ik heb iedereen gevraagd om vertrouwen in me te hebben door op mij te stemmen. Niet zoals in Genovia, want daar is dat vanzelfsprekend omdat er namelijk geen andere prinses is. Alleen ik. En wat ik zeg gebeurt. Of zal gebeuren, als ik eenmaal op de troon zit.

O, ik hoor stemmen op de gang, Het debat is vast afgelopen. Ik vraag me af wat Lana heeft gezegd in haar weerwoord. Waarschijnlijk had ik moeten blijven om haar weerwoord te weerspreken. Maar dat ging niet. Ik kon het niet.

O nee. Ik hoor Lilly.

Maandag 14 september, BLP

Nou, dat was dus leuk. Iedereen kwam naar ons tafeltje toe om me te feliciteren en te zeggen dat ze op me hadden gestemd. Dat was behoorlijk cool. Het waren echt niet alleen mensen van mijn kliekje – de Nerds – maar de Sk8terbois, de Punkers en de Theatergroep, en zelfs een paar Sporters. Het was heel bizar om met mensen te praten die op de gang normaal gesproken dwars door me heen kijken.

En nu wilden ze voor de verandering ineens allemaal bij me aan mijn lunchtafeltje komen zitten.

Maar dat ging niet, want Perin zit bij ons, en verder is er geen plaats meer.

We zijn vandaag wel in een feeststemming vanwege het goede nieuws. Tenminste, ik vond het goed nieuws. Want nadat ik de gymzaal uit was gerend en Lana haar weerwoord probeerde te geven, werd ze uitgejouwd. Ze kreeg er geen woord tussen. Toen mevrouw Gupta het geluid steeds harder zette, ging het zo verschrikkelijk galmen dat iedereen eindelijk kalmeerde. Inmiddels had Lana al in tranen de gymzaal verlaten. (Net goed. Ik weet echt niet hoe ik dat schoolembleem weer netjes erop moet krijgen. Mijn moeder is niet handig met naald en draad. Misschien kan ik het vragen aan het dienstmeisje van Grandmère.)

Maar dat is niet het enige fijne dat er vandaag is gebeurd. Nadat Lilly er eindelijk in was geslaagd om me uit het meisjestoilet mee te krijgen, kwam ik mijn moeder, vader en Grandmère tegen. Mam gaf me een heel dikke knuffel – Rocky straalde – en ze zei dat ze apetrots op me was.

Maar pap had nou eens écht goed nieuws. Hij had van het Koninklijke Genoviaanse Duikteam bericht gekregen dat de *Aplysia depilans* de killeralgen aan het opvreten waren! Echt

waar! Ze hebben in één klap zowat vijftien vierkante kilometer algenvrij gemaakt, en tegen oktober hebben ze dat hele zooitje uitgeroeid, maar dan wordt het water in de Middellandse Zee te koud en gaan ze dood.

'Maar dat geeft niks,' zei mijn vader met een lieve lach. 'Want ik heb al een wetsvoorstel ingediend waardoor het mogelijk is geworden dat er in het voorjaar nog eens tienduizend slakken naar de baai worden verscheept, voor het geval dat er algen uit naburige landen onze territoria binnenkruipen.'

Ik kon mijn oren gewoon niet geloven.

'Wil dat zeggen dat we niet uit de EU worden gegooid?'

Mijn vader was totaal verbijsterd.

'Mia,' zei hij. 'Dat zou nooit zijn gebeurd. Ik weet heus wel dat een aantal landen ons uit de EU wilde hebben. Maar volgens mij zijn dat ook de landen die deze milieuramp hebben veroorzaakt. Niemand heeft echt serieus aandacht geschonken aan hun verzoek om ons uit de EU te zetten.'

En dat zegt hij nu pas. Fijn hoor, pap. Ik heb hier HELEMAAL geen nachten van wakker gelegen. Nou, ja niet alleen daarvan.

Op dat moment zag ik dat mevrouw Martinez bij ons stond, en ze keek een beetje... nou ja, schaapachtig, anders kan ik het niet noemen.

'Mia,' zei ze toen ik eindelijk klaar was met mijn vader te knuffelen (omdat ik zo verschrikkelijk blij was dat mijn slakken de baai hadden gered). 'Ik kan niet anders zeggen dan dat je een geweldige toespraak hebt gehouden. En dat je gelijk hebt. Populaire cultuur hoeft niet noodzakelijkerwijs minder waardevol te zijn. Net als de hogere cultuur heeft het ook zijn plaats. Het spijt me echt heel erg dat ik je het gevoel heb gegeven dat de dingen waar je graag over schrijft minder betekenis hadden dan serieuzere onderwerpen. Dat is niet zo.'

Wauw!!!

Mijn vreugde over deze overwinning werd echter wel een beetje getemperd doordat mijn vader mevrouw Martinez een vette knipoog gaf.

Maakt niet uit. Volgens mij zit het er echt niet in dat mijn vader iets gaat beginnen met iemand die weet wat een gerundium is. Zijn laatste vriendinnetje dacht dat een gerundium een vals, stinkend knaagdiertje was.

En nou we het daar toch over hebben, vlak daarna kwam Grandmère. Ze pakte me bij de arm en trok me met zich mee.

'Zie je nou wel, Amelia,' fluisterde ze met hese stem en een adem die sterk naar cocktail rook. 'Ik heb toch gezegd dat je het kunt. Het was echt heel erg geïnspireerd. Heel erg bezield. Het gaf me bijna het gevoel alsof de geest van de heilige Amelia onder ons was.'

Het rare is dat ik ook zoiets had gevoeld.

Maar dat zei ik niet. Wat ik wel zei, was: 'Eh, Grandmère, wat is nou dat geheime wapen waar Lilly en u mee voor de dag zouden komen? En wanneer gaan jullie dat gebruiken?'

Het enige wat ze deed, was mijn half afgerukte embleem tussen haar vingers pakken. 'Wat is er met je jasje gebeurd? Werkelijk, Amelia, kun je niet beter op je spullen letten? Een prinses hoort er toch niet als een soort slons bij te lopen.'

Nou ja, afgezien daarvan was het allemaal best behoorlijk cool. Zeker toen Grandmère aankondigde dat ze de prinsessenles voor vandaag moest afzeggen omdat ze een schoonheidsbehandeling nodig had. Door de stress van Lilly helpen bij de verkiezing waren haar poriën blijkbaar uitgerekt.

Maar alles bij elkaar genomen was dit genoeg om me het idee te geven dat alles voor de verandering nou eens ging zoals ik het wilde.

Maar toen moest ik aan Michael denken. Die me vandaag trouwens niet één keer heeft gebeld of gemaild om me sterkte te wensen bij het debat, of om te vragen hoe ik het had gedaan of zo. Eigenlijk heb ik hem na dat gesprek over Het doen niet meer gesproken.

En ik moet toegeven dat dat gesprek ook niet helemaal ging zoals ik had gewild.

Maar ja. Je zou toch denken dat hij zou bellen. Ook al heb ik zijn telefoontjes en mailtjes niet beantwoord.

Boris speelt ter ere van mij 'God Save the Queen' op zijn viool. Ik heb hem gezegd dat ik dat een beetje aan de vroege kant vind. Tenslotte zijn ze nog steeds bezig de stemmen te tellen. Tijdens het laatste lesuur zal rectrix Gupta via de intercom de uitslag bekendmaken.

Lilly zei net zachtjes tegen me: 'Als je wint, kun je volgende week al aankondigen dat je je terugtrekt en het voorzitterschap aan mij overdraagt.'

Raar hè? Maar tot dat moment had ik helemaal niet meer aan de rest van het plan gedacht.

Maandag, 14 september, staatsinrichting

Mevrouw Holland feliciteerde me met mijn toespraak van vandaag en zei dat ze trots op me was. Tróts op me! Er is een lerares trots op me!!!

Op míj!

Maandag 14 september, algemene natuurwetenschappen

Kenny zei net zóiets geks tegen me. Hij flapte het er zomaar uit toen we een diagram aan het tekenen waren van de stralingsgordels van Van Allen.

'Mia,' zei hij. 'Ik moet je iets zeggen. Je weet toch van mijn vriendinnetje Heather?'

'Jahaa,' zei ik een beetje aarzelend, want ik dacht dat hij me weer ging doorzagen over hoe goed Heather met gym is.

'Nou,' zei Kenny, en zijn gezicht werd net zo rood als de stralingsgordel die ik aan het inkleuren was. 'Ik heb haar verzonnen.'

!!!!!!!!!!!!!!

Ja, echt waar. Kenny heeft de afgelopen vijf dagen allemaal verzonnen verhalen over zijn verzonnen vriendinnetje Heather verteld. Een vriendinnetje door wie ik me ook nog bedreigd voelde, moet ik eerlijk toegeven! Omdat ze zo perfect is! Ik bedoel maar, blond en sportief en ze haalt alleen maar tienen.

Maar nu ik erover nadenk, zou ik eigenlijk dankbaar moeten zijn dat Heather niet echt bestaat. Want eerlijk gezegd voelde ik me bij haar vergeleken een behoorlijke klungel.

Ik keek hem aan en vroeg: 'Kenny, waarom heb je dat gedaan?'

Hij zag eruit alsof hij zit rot schaamde. 'Ik had er de pest over in, weet je dat? Jij met dat perfecte prinsessenleven van je, met Michael, dat perfecte prinsessenvriendje. Ik... Ik weet niet. Ik had er genoeg van.'

Ja hoor, mijn perfecte leven. Mijn perfecte prinsessenleven met Michael mijn perfecte prinsessenvriendje. Zal ik je eens wat zeggen, Kenny? Wil je weten hoe niet-perfect mijn perfecte prinsessenleven is? Mijn perfecte prinsessenvriendje staat

op het punt me te dumpen omdat ik Het niet wil doen. Lekker perfect, hè Kenny?

Maar dat ga ik natuurlijk niet zeggen. Want dat gaat Kenny helemaal niets aan. En bovendien wil ik niet dat dit Michael-wil-Het-doen-gedoe de hele school door gaat. Dankzij al die films die op mijn leven zijn gebaseerd (nou ja, heel oppervlakkig dan) denken al genoeg leerlingen dat ze alles over me weten. Ik wil echt niet dat er nog meer over me bekend wordt.

Maar dit terzijde. Ik heb tegen Kenny gezegd dat mijn leven echt niet zo perfect is als hij denkt. Dat ik juist heel veel problemen heb, bijvoorbeeld dat ik een babylikker ben en het bijna voor elkaar heb gekregen dat mijn land uit de EU werd getrapt.

Gek genoeg werd hij van deze informatie stukken vrolijker. Zo erg zelfs dat ik er een beetje een vervelend gevoel over heb.

Jemig...

O nee. De luidspreker in de klas kraakte net. Mevrouw Gupta gaat de uitslag van de stemming bekendmaken.

O jee. O jee. O jee. O jee.

Daar komt het:

Lana Weinberger: driehonderdnegenenvijftig stemmen.

Mia Thermopolis: zeshonderdeenenveertig stemmen.

Jeeminee.

O jeetjemina.

Ik ben de schoolvoorzitter van het Albert Einstein College.

Maandag 14 september, 5 uur, Ray's Pizza

Oké. Dat was dus totaal onwerkelijk.

Ik weet niet hoe ik het anders moet omschrijven. Ik verkeer in een roes. Nog steeds. En het is al twee uur geleden dat mevrouw Gupta me tot winnaar heeft uitgeroepen. En ik heb sindsdien ook al een pizza met kaas en drie cola lights op.

En ik ben nog steeds helemaal van de kaart.

Misschien komt het niet eens doordat ik de verkiezing heb gewonnen, maar door wat er daarna is gebeurd. Wat trouwens een heleboel was.

Een HELEBOEL!

Ten eerste begon iedereen bij algemene natuurwetenschappen, inclusief Kenny, te springen en me te feliciteren, en ik kreeg meteen het verzoek om aan het schoolbestuur te vragen elektroforese-apparatuur voor het practicum aan te schaffen. Want de vorige schoolvoorzitter had daar niet zo veel mee.

Daardoor was ik me er binnen de kortste keren totaal van bewust wat voor een zware verantwoordelijkheid het voorzitterschap met zich meebrengt.

En...

Ik was er blij mee.

Ik weet het. Ik weet het.

Alsof ik er nog niet genoeg aan heb dat ik:

- de prinses van Genovia ben
- de zus ben van een weerloze baby die ouders heeft die op het gebied van ouderschap nogal wat gebreken vertonen, als je begrijpt wat ik bedoel
- een ontluikend schrijfster ben die nog een jaar wiskunde moet doen
- een tiener ben, wat tevens inhoudt dat ik te lijden heb van

stemmingwisselingen, onzekerheid, en hier en daar af en toe een puistje
- verliefd ben op een student.

En vind ik het nu opeens leuk om dat allemaal te zijn, naast mijn schoolvoorzitterschap?

Nou. Oké. Ja.

Ja, dat is zo. Omdat ik van Lana Weinberger heb gewonnen? Dat maakt álles uit.

Maar goed. Dat was nog maar het eerste wat gebeurde.

Nadat de bel was gegaan en we vrij hadden, liep ik naar mijn kluisje. Dat ging niet zo snel, want ik werd steeds maar aangehouden omdat iedereen me wilde feliciteren. Opeens sprong Lilly om mijn nek (ik ben wel een stuk groter dan zij, maar zij weegt meer. Ze bofte dat ik haar niet liet vallen. Maar volgens mij had ik heel veel adrenaline, zoals je krijgt wanneer je baby vastzit onder een auto of je tot schoolvoorzitter bent gekozen, want ik kon haar net zo lang houden tot ze zich naar beneden liet zakken).

'Het is gelukt! Het is gelukt!' gilde Lilly.

Vervolgens kwamen Tina, Boris, Shameeka, Ling Su en Perin aanlopen, die met ons mee begonnen te springen. Daarna liepen we met z'n allen naar mijn kluisje onder het zingen van 'We Are the Champions.'

Terwijl iedereen opgewonden stond te kletsen en ik bezig was met het cijferslot van mijn kluisje, gebeurde er iets heel geks bij het kluisje naast me. Ramon Riveras stond daar samen met mevrouw Gupta en de vader van Lana Weinberger al zijn spullen – maar dan ook ál zijn spullen – uit zijn kluisje te halen en die vervolgens met een sip gezicht in zijn gymtas te stoppen.

Achter hem stond Lana die terwijl de tranen over haar wan-

gen liepen, stampvoetend riep: 'Maar papa, waarom? Waarom, pappie? Waarom?'

Maar meneer Weinberger gaf geen antwoord. Hij bleef daar maar ernstig staan kijken tot Ramon al zijn spullen uit het kluisje had gehaald. Toen zei mevrouw Gupta: 'Mooi zo. Kom maar mee.'

Samen met Ramon, meneer Weinberger en Lana liep ze terug naar haar kantoortje.

Lana keek nog even met een vuile blik achterom en beet me toe: 'Ik krijg je nog wel. Hier krijg je spijt van!'

Ik dacht dat ze bedoelde dat ik de verkiezing had gewonnen. Maar toen zei Shameeka: 'Hé, waar gaat Ramon naartoe?'

Lilly produceerde een heel vals lachje en ze antwoordde: 'Naar het vliegveld, waarschijnlijk.'

In koor vroegen we wat ze bedoelde. 'Mijn geheime wapen,' zei Lilly. 'Alhoewel ik na die toespraak van je wel wist dat je dat niet nodig had. Het ziet ernaar uit dat die grootmoeder van je de Weinbergers toch even een hak heeft gezet, ook al bleek dat niet nodig. Dat moet ik Clarisse nageven. Ze is echt een dame die je niet tegen je moet krijgen.'

Omdat Lilly het er allemaal niet echt duidelijker op maakte, in ieder geval niet voor mij, vroeg ik waar ze het in vredesnaam over had, en toen legde ze het uit. Toen Lilly tijdens de voetbalwedstrijd achter Lana's ouders zat, had ze alles gehoord wat ze zeiden, en daaruit bleek dat Ramon onder valse voorwendselen aan de wedstrijd deelnam!

Jawel! Hij is al lang klaar met school. Afgelopen jaar heeft hij eindexamen gedaan in zijn geboorteland Brazilië, waar hij zijn school kampioen van de provincie had gemaakt! Meneer Weinberger en een paar andere bestuursleden hadden het briljante idee opgevat om hem tegen betaling hiernaartoe te laten komen en zich in te laten schijven op het AEC, zodat we voor

de verandering een keer een wedstrijd zouden winnen.

Lilly en Grandmère waren van plan deze informatie te gebruiken in een lastercampagne tegen Lana, voor het geval ze na het debat aan de winnende hand mocht zijn geweest.

Maar toen ik met *Sailor Moon* en die uitspraak van John Locke op de proppen kwam, wisten ze dat ik die verkiezing in mijn zak had. Dus belde Grandmère mevrouw Gupta pas op om haar over Ramon te vertellen nádat de verkiezingsuitslag bekend was gemaakt.

Ik moet zeggen dat ik door deze informatie Lilly in een ander licht zag. Dat Lilly tot clandestiene dingen in staat is, wist ik wel. En ik wil ook niet beweren dat de Weinbergers het recht hadden die arme Ramon zo te misbruiken, of de andere bestuursleden om de tuin te leiden.

Maar jemig!!! Ik zou Lilly – en Grandmère al helemaal niet – echt niet graag als vijand hebben.

Lilly zag er uiterst zelfvoldaan uit zoals ze daar stond, terwijl iedereen haar op de rug klopte en zei dat het heel cool was wat ze had gedaan.

En het wás ook cool, als je vindt dat alles wat Lana Weinberger aan het huilen maakt helemaal in orde is.

'Zo,' zei Lilly toen ik mijn spullen had gepakt en wilde weglopen. 'Van Clarisse hoef je vandaag niet naar de prinsessenhel, zullen we dan ónze overwinning maar gaan vieren?'

Ze legde erg duidelijk de nadruk op het woordje 'ónze'. Zelfs als je volkomen achterlijk was, was je dat nog opgevallen.

Ik snapte het dus.

En ik kreeg een knoop in mijn maag.

'Eh,' zei ik. 'Nou ja, Lilly, even over vandaag... Er is iets gebeurd toen ik die toespraak hield...'

'Jij hoeft mij echt niet te vertellen dat er iets is gebeurd,' zei Lilly, en ze gaf me een klapje op mijn rug. 'Je hebt vandaag een

lans gebroken voor alle niet-populaire kinderen van de hele wereld, dat is er gebeurd.'

'Jawel,' zei ik. 'Dat weet ik wel. Echt wel. Maar ik weet nu niet meer wat ik van de rest moet denken. Lilly, zeg nou zelf, het is toch niet helemaal eerlijk? Ze hebben allemaal op *míj* gestemd. Ze verwachten van *míj*...'

Ik zag dat Lilly grote ogen opzette vanwege iets wat achter mijn rug gebeurde.

'Wat moet *híj* nou hier?' vroeg ze. En toen zei ze tegen degene die achter me stond: 'Voor het geval je het bent vergeten, je bent van school af, hoor.'

Er sloot zich een ijzeren vuist om mijn hart. Want ik wist, ik *wíst* gewoon tegen wie ze het had.

De laatste persoon die ik op dat moment wilde zien.

Of misschien juist de persoon die ik op dat moment het liefst wilde zien.

Dat hing er vanaf wat hij tegen me te zeggen had.

Ik draaide me langzaam om.

En daar stond Michael.

Het zal wel superdramatisch klinken om te zeggen dat al het andere in de gang leek te verdwijnen, alsof Michael en ik daar met z'n tweeën stonden en elkaar alleen maar aankeken.

Als ik dat in een verhaal zou schrijven, zou mevrouw Martinez er waarschijnlijk bij zetten: cliché.

Alleen was het geen cliché. Want zo was het namelijk echt. Alsof er niemand anders op de wereld bestond dan wij tweeën.

'Ik wil met je praten,' zei Michael tegen me. Niet: hallo. Niet: waarom heb je me niet gebeld? Waar zat je? En zeker geen zoen.

Alleen maar: ik wil met je praten.

En dat ene zinnetje zorgde ervoor dat mijn hart net zo klein en hard werd als het hart van de heilige Amelia.

'Oké,' zei ik, ook al was mijn mond kurkdroog geworden.

En toen hij zich omdraaide om de school uit te lopen, liep ik achter hem aan, nadat ik eerst een waarschuwende blik achterom had geworpen om Lars te laten merken dat hij heel ver achter me moest blijven, en zodat Lilly zou snappen dat we helemaal niks gingen vieren.

Tenminste niet nu.

Lars vatte het heel professioneel op. Maar Lilly begon te krijsen: 'Ga maar. Ga maar weg met je vriendje. Het zal ons worst wezen!'

Maar Lilly wist van niets. Lilly wist niet dat mijn hart helemaal was verschrompeld. Lilly wist niet dat ik het gevoel had dat mijn leven – mijn perfecte prinsessenleven – op het punt stond in vijftig miljard stukjes uiteen te spatten. De supervulkaan onder Yellowstone Park! Laat me niet lachen. Als dat ding een keer uit elkaar knalt, is dat niets vergeleken met dit.

Ik liep achter Michael de trap af, nauwlettend gadegeslagen door de beveiligingscamera's, langs de leerlingen die om Joe heen stonden. Ik liep twee straten met hem mee, terwijl we allebei geen woord zeiden. En ik zou zeker niet als eerste beginnen.

Want alles was nu anders. Als hij het nu met me wilde uitmaken omdat ik Het niet wilde doen, nou, dan kon me dat niets meer schelen.

Nou ja, het kon me natuurlijk wel wat schelen. Mijn hart was nu al zo ongeveer gebroken, alleen maar omdat hij had gezegd dat hij met me wilde praten.

Maar, hallo, ik ben wel de prinses van Genovia. En ik ben net tot schoolvoorzitter van het AEC gekozen.

En niemand, zelfs Michael niet, gaat me vertellen wanneer ik Het moet doen.

Eindelijk kwamen we bij Ray's Pizza. Er zat bijna niemand

omdat de school nog maar net uit was, en het was al geen lunchtijd meer en nog lang geen etenstijd.

Michael wees een plekje aan en vroeg: 'Pizza?'

Ik wil met je praten.

Pizza?

Dat was het enige wat hij tot dusver tegen me had gezegd.

Ik zei: 'Ja.' En omdat mijn mond nog steeds kurkdroog was, zei ik nog: 'En een cola.'

Hij ging naar de balie en deed zijn bestelling. Toen kwam hij weer terug naar het tafeltje, ging tegenover me zitten, keek in mijn ogen en zei: 'Ik heb het debat gezien.'

Ik had echt niet verwacht dat hij dat zou zeggen.

Het was zo totaal onverwacht dat mijn mond openviel. Pas toen ik koele lucht op mijn tong voelde, besefte ik dat ik door mijn mond zat te ademen, net zoals Boris.

Ik klapte mijn mond dicht. En vroeg: 'Was je er dan bij?'

En je bent niet naar me toegekomen om afscheid te nemen? Alleen dat laatste zei ik niet.

Michael schudde zijn hoofd.

'Nee,' zei hij. 'Ik heb het op CNN gezien.'

'O,' zei ik. Ja hoor, wie krijgt het nou voor elkaar om een schooldebat op CNN te krijgen? Ik dus.

En wie zou daar nou toevallig naar kijken? Mijn vriendje dus.

'Ik vond het erg goed wat je over *Sailor Moon* zei.'

'Echt waar?' Ik weet niet waarom dit er zo piepend uitkwam.

'Jazeker. En dat citaat van John Locke, dat was echt geweldig. Had je dat van staatsinrichting van Holland?'

Ik knikte en kon niks meer zeggen, zo verbaasd was ik dat hij dit wist.

'Ja,' zei hij. 'Ze is cool. Dus.' Hij legde zijn arm over de rug-

leuning van zijn stoel. 'Je bent nu de nieuwe schoolvoorzitter van het AEC.'

Ik vouwde mijn handen op het tafelblad, en ik hoopte maar dat hij niet zou zien wat voor schade ik aan mijn vingernagels had aangericht. Omdat ik zo over hem had zitten piekeren.

'Ja, daar ziet het wel naar uit,' zei ik.

'Ik dacht dat Lilly voorzitter wilde worden,' zei Michael, 'En niet jij.'

'Dat is ook zo,' antwoordde ik. 'Maar nu, eh, tja, ik wil het eigenlijk niet meer opgeven.'

Michael trok zijn wenkbrauwen op en floot even zachtjes.

'Wauw,' zei hij. 'Je vindt het toch niet erg als ik een beetje uit de buurt blijf, als je dat tegen haar gaat zeggen?'

'Nee,' zei ik. 'Dat is oké, hoor.'

Toen verstarde ik. Wacht even... Als hij niet in de buurt wil zijn wanneer ik tegen Lilly zeg dat ik niet van plan ben om mijn voorzitterschap neer te leggen, dan betekent dat...

Dat betekent dus...

Plotseling begon mijn arme, verschrompelde hart weer wat tekenen van leven te vertonen.

'Pizza staat klaar,' zei de man achter de balie.

Michael stond op en haalde de pizza en drie blikjes fris. Hij had er ook een voor Lars besteld, die aan een tafeltje aan de andere kant van het restaurant zat en deed alsof hij een en al interesse was voor een aflevering van *Dr. Phil*, waarnaar de man achter de toonbank keek op een tv die aan het plafond hing.

Ik wist niet meer wat ik moest doen. Dus nam ik maar een stuk pizza, kwakte het op een kartonnen bordje en bracht het samen met de frisdrank naar Lars. Het is echt geen pretje om de hele tijd rekening te moeten houden met je bodyguard.

Ik kwam terug, ging weer zitten, deed voor mezelf ook een

stuk pizza op een bordje en strooide er voorzichtig cayennepeper over.

Zoals gewoonlijk pakte Michael gewoon een stuk pizza, zonder te beseffen dat die gloeiend heet was, sloeg hem dubbel en nam een grote hap.

Toen hij dit deed, leken zijn handen heel erg groot. Waarom had ik dat nooit eerder opgemerkt? Dat Michaels handen zo groot zijn?

Nadat hij de hap had doorgeslikt, zei hij: 'Zeg, ik wil geen ruzie hierover maken.'

Ik keek hem even scherp aan, omdat ik naar zijn handen had zitten staren. Ik wist niet zeker wat hij met 'hierover' bedoelde. Bedoelde hij Lilly en het voorzitterschap? Of bedoelde hij...

'Ik wil alleen maar weten,' ging hij verder op een beetje vermoeide toon, 'of we Het ooit gaan doen?'

Oké, dus niet over Lilly of het voorzitterschap.

Ik stikte bijna in een stukje pizza, en moest eerst een liter cola wegslikken voordat ik antwoordde: 'Natúúrlijk wel.'

Maar zo te zien vertrouwde Michael het niet helemaal.

'Dus nog voor het einde van het decennium?'

'Absoluut,' zei ik met meer overtuiging dan ik eigenlijk voelde. Maar wat moest ik anders zeggen? Bovendien was mijn gezicht net zo rood als dat rode spul op de pizza. Dat wist ik omdat ik mijn gezicht weerspiegeld zag in de servettenhouder.

'Toen ik hieraan begon, wist ik dat het niet gemakkelijk zou zijn, Mia,' zei Michael. 'Behalve het leeftijdsverschil en dat je de beste vriendin bent van mijn zus, is er ook nog dat prinsessengedoe. Steeds maar die paparazzi die je op je nek zitten, en dat je geen stap kunt verzetten zonder je bodyguard. Iemand van minder allooi zou zich daardoor laten afschrikken. Maar ik heb namelijk altijd wel van uitdagingen gehouden. Trouwens, ik hou gewoon van je, dus heb ik het ervoor over.'

Ik smolt zowat ter plekke. Ik meen het echt. Heeft iemand ooit wel eens zoiets liefs gezegd?

Maar toen ging hij verder.

'Ik wil je heus niet opjagen en je niet dwingen tot iets waar je nog niet aan toe bent,' zei Michael heel terloops, alsof hij het had over de volgende zet bij Rebel Strike. Hoe doen jongens dat toch? 'Ik weet wel dat je even tijd nodig hebt om aan dingen te wennen. Dus wil ik dat je hier maar vast aan went: jij bent het meisje dat ik wil. Op een dag zul je van mij zijn.'

Mijn gezicht was nu nog roder dan dat spul op de pizza. Zo voelde dat tenminste.

'Eh,' zei ik. 'Oké.' Wat had ik anders moeten zeggen?

Trouwens, ik vond het niet erg, hoor. Ik wil dat Michael me wil.

Het is alleen zo, hoe moet ik het zeggen... Wat hij zei was nogal...

Geweldig.

'Als dat maar helder is,' zei Michael.

'Als glas,' zei ik nadat ik even had moeten slikken.

Toen zei hij dat ik wat betreft Het doen even rust kreeg, maar hij wilde wel een periodieke evaluatie over de stand van zaken.

Ik vroeg hoe vaak we dan moesten evalueren over de stand van zaken, en hij zei ongeveer eens per maand, en toen zei ik dat een halfjaarlijkse evaluatie mij beter leek, en toen zei hij eens in de twee maanden, en ik zei drie, en toen zei hij: 'Afgesproken.'

Toen stond hij op om Lars nog een stuk pizza te brengen. Daarop raakte hij met Lars en de man achter de toonbank in gesprek over de kansen van de Yankees in de World Series dit jaar, hoewel Michael bij mijn weten zijn hele leven nog nooit naar een honkbalwedstrijd heeft gekeken.

Maar hij heeft wel een computermodel ontworpen waarin

je alle statistische gegevens van een team kunt invoeren, en dat met maar twee punten speling berekent wat de kansen zijn dat het team een ander team verslaat.

Feit is dat ik van hem houd. Hij is de jongen die ik wil. En op een dag zal hij de mijne zijn.

En toen wilde hij weten of ik nog zin had in een ijsje.

Ik zei: 'Nou en of.'

Dank

Graag wil ik Beth Ader, Jennifer Brown, Barb Cabot, Laura Langlie en Abigail McAden bedanken, en in het bijzonder Benjamin Egnatz.

Lees ook de omnibus met de eerste drie dagboeken van Mia!

Het ene moment is Mia een doodgewoon meisje, het volgende de troonopvolger van Genovia. Dat is even wennen... Haar vader kan wat Mia betreft preken tot hij koninklijk blauw ziet, maar denk maar niet dat Mia zich als een of andere over het paard getilde prinses gaat gedragen. En verhuizen naar Genovia? Echt niet!
Dagboek van een prinses, *Prinses in de spotlights* en *De verliefde prinses* samen in één boek!

ISBN 978-90-6974-791-0

Lees ook deel vier van
Dagboek van een prinses!

Na haar vakantie in Genovia heeft prinses Mia eindelijk weer tijd voor wat écht belangrijk is: haar liefdesleven. Michael en Mia zijn nu officieel een stelletje, maar Grandmère lijkt andere plannen te hebben. Zou het kunnen dat ze (nee, alsjeblieft niet!) iemand anders op het oog heeft voor prinses Amelia Mignonette Grimaldi Thermopolis Renaldo?

ISBN 978-90-6974-790-3

Lees ook deel vijf van
Dagboek van een prinses!

Het leven lijkt Mia toe te lachen: ze is de nieuwste sterreporter van de schoolkrant, en ook haar examens gaan voorspoedig. Daarnaast krijgt ze binnenkort een babybroertje of -zusje. Kan het allemaal nog beter? Diep in haar hart heeft Mia eigenlijk maar één wens: met Michael naar het eindexamenfeest. Michael lijkt zich echter niet zo voor het feest te interesseren, en erger nog: het hele feest lijkt niet door te gaan. Mia moet in actie komen, en snel, anders kan ze haar felroze eindexamenjurk nooit aan!

ISBN 978-90-6974-816-0